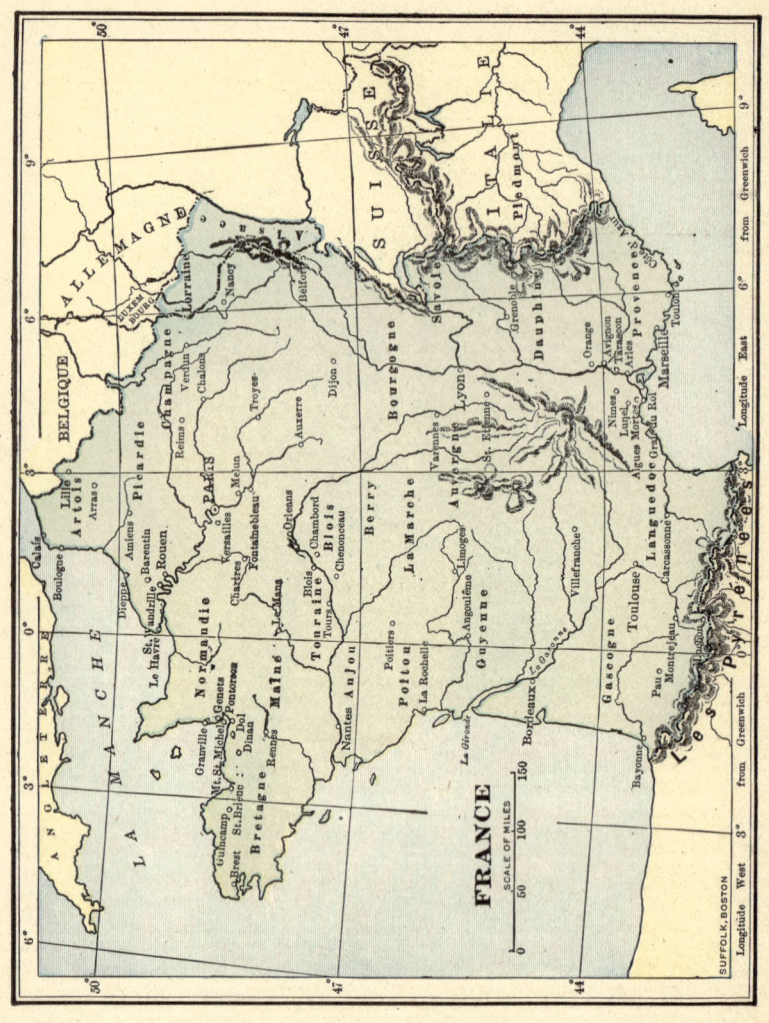

CONVERSATIONAL FRENCH

A READER FOR BEGINNERS

BY

HENRY BIERMAN, A.M.

INSTRUCTOR IN FRENCH IN THE DEWITT CLINTON HIGH SCHOOL,
NEW YORK CITY

AND

COLMAN DUDLEY FRANK, A.M.

CHEVALIER DE LA LÉGION D'HONNEUR, MAJOR OF INFANTRY, A.E.F., U.S.A.
HEAD OF THE DEPARTMENT OF FRENCH IN THE DEWITT CLINTON
HIGH SCHOOL, NEW YORK CITY

WITH ILLUSTRATIONS BY
H. E. MARTINI

ALLYN AND BACON

BOSTON   NEW YORK   CHICAGO
        ATLANTA   SAN FRANCISCO

COPYRIGHT, 1921 BY
HENRY BIERMAN AND
COLMAN DUDLEY FRANK

FAN

PREFACE

This book is based on long classroom experience and on a careful study of student psychology. Both reveal the fact that the pupil does best what he likes best to do; the material of *Conversational French*, therefore, has been chosen primarily to interest and entertain. The stories are of the twentieth century, up-to-the-minute in interest, and told in the tongue of the French people of to-day.

The short story has been chosen in preference to the longer text because it forms one coherent unit of expression for a single day's lesson. It makes the pupil thrill with the joy of accomplishment, for he can reach the point of the story. The subjects treated are of the home, the streets, the daily life, incidents near to the pupil's environment and well within his ken.

The book embodies the best features of direct methods as applied with the greatest success in our American schools. Each anecdote is provided (1) with a questionnaire in French, so built as to encourage the maximum of conversational drill; (2) with English sentences to be translated into French in order to secure accuracy in writing and speaking; and (3) with drill on interesting and frequently recurring forms. Thus the combination of the short tale for reading, of the questions and answers for aural and oral training, and of the sentences and grammar drill for visual training, forms one connected assignment for a single day's lesson.

The material has been carefully graded. Difficult grammatical constructions and infrequent idioms have been eliminated and the language of the book made simple and practical, so that it may aid in furthering conversational fluency. The tenses have been introduced gradually and progressively. Throughout the first thirty pages the Present tense alone is used and plenty of drill upon it is provided. The Past Indefinite is next introduced, then the Imperfect, the Future, and the Conditional. The Past Definite, little used in conversation, is relegated to the last half of the book, and the Subjunctive tenses occur only in the later pages.

In the *Pratiques de Grammaire* will be found a variety of suggestions for effective treatment of the material. The devices suggested under one lesson may be successfully carried over to other lessons. All tend to encourage the pupil to find his models in the text itself and to accompany the spoken word by the action.

Dramatizing the story has been frequently emphasized, because the child of high school age has an innate love for acting. There is no better way of making him interested in his work and proud of it than by utilizing this talent. These stories lend themselves admirably to this end in humor of anecdote, in terseness of dialogue, in simplicity of scene. This use of dramatization bears out the basic plan of the book, namely, to throw the linguistic burden upon the pupil, for the teacher must remember that a teacher who is always telling is not always a telling teacher.

In putting the emphasis on the spoken word it is by no means intended that written work should be neglected. In learning a modern language the ear should precede the eye, but the eye must reënforce the ear. Most people have visual memories; they remember what they have seen; hence, it is urged that all *Traductions* and most of the *Pratiques de Grammaire* be done in writing.

Special attention is called to certain features calculated to increase the efficiency of the recitation.

1. An unusually complete list of classroom expressions precedes the reading matter, so that from the beginning work may be conducted in French.

2. The first four reading lessons are built entirely upon cognates, so that reading may be begun at the very outset of the first term.

3. As an aid to pronunciation, throughout the first twenty exercises, liaison has been marked by a sign ‿; final pronounced consonants are printed in heavy type; the silent *en* or *ent* of the Third Person Plural of verb-forms has been marked ~~en~~ or ~~ent~~; and nasal sounds have been indicated by italic *n* or *m*.

4. The notes, few in number, are placed upon the very page where the reference occurs, so that even the laziest and most indifferent pupil cannot avoid reading them.

5. The regular verbs are arranged in four parallel columns in order to facilitate comparison and the study of terminations.

6. The more common irregular verbs are arranged in a newly planned list according to the derivation of the tenses. In the vocabulary these verbs bear a reference number corresponding to their place in the list.

7. The rules and nomenclature are given both in French and in English, so that either may be used in the classroom and each may help the learning of the other.

8. There is frequent repetition of words, and while the vocabulary of the book is slight in quantity, it is eminently valuable for practical purposes.

9. There have been inserted a variety of jingles, proverbs, verses, and happy anecdotes, intended for memory work. The fourteen-year-old will find them easy to learn and worth his while, as they give him a standard of pronunciation and a vocabulary.

Typographically, the book has been prepared with care — that it might not be merely a dull, cheerless textbook. It is the hope of the authors that in form and in content it may radiate something of that delicacy of technique and artistic touch which are characteristically Gallic.

In expressing the customary thanks for favors shown, the authors make acknowledgment to their colleagues — both in the DeWitt Clinton High School and out of it — who helped in the task of marshaling the material; also to Messrs. Merrill and Company, New York City, for the right to reprint some of the stories. Especially the authors' gratitude goes out to a happy and joyous world which has preserved these anecdotes to us by word of mouth and printed page, — a heritage of gayety for the youth of all time.

HENRY BIERMAN.
COLMAN DUDLEY FRANK.

DeWitt Clinton High School,
New York City,
January, 1921.

TABLE DES MATIÈRES

		PAGE
	Helpful Hints for French Grammar and Pronunciation	xi
	The Phonetic Alphabet	xliii
	Classroom Vocabulary, Commands, and Drill	1
1.	La Nation, I. (Cognates)	13
2.	La Nation, II. (Cognates)	14
3.	La Famille. (Cognates)	15
4.	Visite à la Ménagerie. (Cognates)	16
5.	L'Heure d'Étude, I. (à suivre)	18
6.	L'Heure d'Étude, II. (suite)	20
7.	Mieux Vaut Tard Que Jamais, I. (à suivre)	21
8.	Mieux Vaut Tard Que Jamais, II. (suite)	22
9.	Scène de Classe	24
10.	Journée d'École	26
11.	Le Sansonnet	27
12.	Quel Âge Avez-vous	29
13.	Complet	31
14.	Le Clou	33
15.	Le Jeune Scarron, I. (à suivre)	36
16.	Le Jeune Scarron, II. (suite)	39
17.	Faim ou Femme	41
18.	La Pomme Empoisonnée	43
19.	Le Berger Menteur	46
20.	Présence d'Esprit	49
21.	La Petite Mendiante	51
22.	La Fontaine et le Voleur	55
23.	Henri Monnier et le Portier	58
24.	Le Mensonge Bien Soutenu	61
25.	Le Cheval Volé	64
26.	Un Avocat Subtil	66
27.	Des Lunettes Qui Fassent Lire	68
28.	Nous Avons Déménagé	71

		PAGE
29.	Le Meunier et l'Âne	74
30.	Le Duel	78
31.	Les Deux Tambours, I. (à suivre)	81
32.	Les Deux Tambours, II. (suite)	83
33.	L'Empereur et le Ministre	86
34.	Les Mots et les Choses	89
35.	Vous ne Prenez pas Assez d'Exercice	92
36.	Ce Qu'on Gagne à se Lever Matin	96
37.	Aristocratie	98
38.	Le Soleil de la Bretagne	101
39.	La Bienfaisance et la Reconnaissance	104
40.	Un Marché	106
41.	L'Air Allemand	108
42.	L'Impertinent Humilié	111
43.	Partagez avec le Peuple	114
44.	L'Invention à l'Épreuve	117
45.	Amour Filial	120
46.	Un Compte d'Apothicaire	123
47.	Le Portrait	126
48.	La Cigale et la Fourmi	129
49.	L'Assemblée des Animaux pour Choisir un Roi	131
50.	Le Cheval et les Huîtres	135
51.	La Tabatière d'Or	138
52.	La Nature Humaine	141
53.	Les Deux Frères	144
54.	La Cassette	146
55.	Colbert et l'Officier Gascon	149
56.	Le Petit Cochon	153
57.	L'Heureux Expédient	155
58.	Le Roi Alphonse	158
59.	Comment Zadig Corrige Irax	161
60.	Comment Zadig Choisit un Trésorier au Roi	164
61.	Zadig et Setoc	167
62.	Après la Bataille	170
63.	Les Oies Ont-elles Deux Pattes	173

		PAGE
64. Une Oie Est un Bipède	. . . . . .	177
65. Passablement Ingénieux, I. (à suivre)	. . . .	178
66. Passablement Ingénieux, II. (suite)	. . . .	181
67. Jeux et Récréations		184
Proverbes, Rébus, Charades, La Marseillaise		
68. Alpha et Oméga		191
Verbe Auxiliaire *avoir*		193
Verbe Auxiliaire *être*		195
Verbes Réguliers		198
Liste des Verbes Irréguliers		206
Vocabulaire		221

CONVERSATIONAL FRENCH

HELPFUL HINTS

FOR FRENCH GRAMMAR AND PRONUNCIATION

Removing the Stumbling-Blocks. — From time immemorial certain points have always proved stumbling-blocks to the beginner. It is in the hope of lessening the learner's tendency to error that the following suggestions are offered. They are by no means exhaustive; they are simple, unscientific, practical classroom devices intended to overcome the difficulties of too scientific grammar.

HINTS ON CLASSROOM TECHNIQUE

The Note-book. — Have a note-book handy and jot down in it every important thing you hear in the classroom, because you remember best what you see in writing, and especially what you write with your own hand.

Oral and Written Corrections. — When your teacher corrects a mistake for you orally, repeat it after him. In that way the correct form will remain uppermost in your mind and drive out the incorrect.

Also in your written work, if you have a correction offered you, write the corrected form yourself. In that way you will remember it better.

Use of Gesture. — Use gesture generously in the classroom. The gesture is to the Frenchman what emphasis is to the American. The Frenchman punctuates his sentence with his hands, his shoulders, his eyes, in the same way that a Spanish lady uses her fan.

Objective Illustration. — Make constant use of objective illustration. Bring objects to the classroom as they appear in the vocabularies. Name the objects around you in your classroom, at your home, on your way to and from school. Look up those you do not know. If you are learning the names of flowers, bring some to the classroom, and say a sentence or two about them as you deposit them in the vase on the desk.

If you are learning the names of parts of the body, draw a picture or cut one out of the magazines and mark the names of the parts as you learn them.

Suiting the Action to the Verb. — In learning verbs do the action called for. The meaning is thus more firmly fixed in your mind. Accustom yourself to say, **Je vais au tableau** when you go to the blackboard, **Je réponds à la question** when you answer your teacher's question. Practice similar phrases when you are out of the classroom. Say, **Je traverse la rue ; je m'habille ; il est tard, il faut que je me dépêche ; je prends un morceau de sucre, je le mets dans le café.**

When you present your excuse to your teacher, accompany it with the words, **Voici mon excuse, mon professeur.**

When you want permission to leave the room, say, **Est-ce que je peux me retirer un instant ?** etc.

Asking Questions. — Ask questions in French of your teacher and of your classmates. It is sometimes harder to ask questions than to answer them, and life is made up of questions as well as of answers.

Following Good Models. — Learn good French models and follow them, so that you will not contract the terribly bad habit of transliteration, that is, of saying everything in French just the way we say it in English. For example, if you want to say, *We had a good time*, you must not translate literally, *Nous avions un bon temps*, because that means that *We had good weather* (incorrect even for that), but you must learn the French idiom, which is **Nous nous sommes bien amusés.**

The learning of good French models also aids accuracy in pronunciation as well as grammar, and gives a sense of acquirement of the language and of sureness in its use. Memorize songs and verses, such as **Frère Jacques, La Marseillaise**; prose excerpts, such as the beginning of **La Dernière Classe** de Daudet; oft-recurring expressions, such as **Merci, je n'en veux pas, En êtes-vous sûr? Dépêchez-vous!**; proverbs, such as **A bon chat, bon rat! Pas de nouvelles, bonnes nouvelles!**

Spelling French Words. — Always spell French words in French, not in English. It helps your pronunciation. For example, **si**, if spelled in English letters would be pronounced like the English word *sigh*, but if spelled in French letters you know at once that it sounds like the English word *see*.

Grasping Essential Facts. — Your greatest need is a firm foundation, a few essential facts, simply stated and absolutely understood. Don't try to remember every detail, but try to get a clear grasp of general principles.

Writing the Title. — At the board and on your daily written themes write a French title for your work, indicating just what it is to be. For example, **Le présent de l'indicatif du verbe** *aller* **au négatif, Les dix premières phrases de la sixième leçon,** etc.

DEVICES

Learn by **grouping**.

Verbs

Vous di *tes*
Vous ê *tes* } are the only forms of the Second Person Plural Present that do not end in *-ez*. All others end in *-ez*.
Vous fai *tes*

Ils *ont*
Ils f *ont* } are the only verbs that do not end in *-ent* in the Third Person Plural Present. All others end in *-ent*.
Ils s *ont*
Ils v *ont*

Learn the Present Indicative of **aller** right after the Present Indicative of **avoir** because it is almost exactly like it. Compare: —

J'	*ai*	Je	v *ai* s
Tu	*as*	Tu	v *as*
Il	*a*	Il	v *a*
Nous av	*ons*	Nous all	*ons*
Vous av	*ez*	Vous all	*ez*
Ils	*ont*	Ils	v *ont*

Group together all verbs that show the same type of orthographical changes in the Third Person Plural Present as in the First, Second, and Third Persons of the Singular.

Je d *oi* s	Nous devons	Je v *eu* x	Nous voulons
Tu d *oi* s	Vous devez	Tu v *eu* x	Vous voulez
Il d *oi* t	Ils d *oi* vent	Il v *eu* t	Ils v *eu* lent

In this same class will fall: **acquérir, boire, devoir, mourir, mouvoir, pouvoir, tenir, venir, vouloir.**

HELPFUL HINTS

Remember the Future always has the distinctive letter *r* before every ending. *r* is the last letter of the French word **Futur**. That *r* is the distinctive letter of every verb in the Future.

Examples: **dirai, fera, recevrons, viendront.**

If you have a tendency to confuse the two auxiliaries **avoir** and **être**, notice

Both English	— *have*	Both English	— *be, been*
and French	— *avoir*	and French	— *être, été*
show the same—	*av.*	show the same —	*e.*

Notice also the similarity between:

Eng.: *I have, Thou hast, He has, We have, You have.*
Fre.: *J' ai, Tu as, Il a, Nous avons, Vous avez.*

Notice that when you start a verb with *nous*, you generally end it with *ons*, the same letters differently placed,

nous   *donn* **ons**
nous   *av* **ons**
nous   *parl* **ons**

In the same way, when you start a verb-form with *vous*, you must think immediately of the ending *ez*, which you are generally sure to require: *vous donn ez.*

(*Exceptions, see p. xiv and the Preterite.*)

You can easily remember that additional syllable in verbs of the Second Conjugation, as it is almost the same as occurs in English.

Compare English, *fin* **ish** *ing* with French **fin** *iss* **ant,**
                     pun **ish** *ing* " " **pun** *iss* **ant,**
                     rav **ish** *ing* " " **rav** *iss* **ant.**

Remember these final letters for verbs. None others are possible.

First Person Singular, *e* or *s* or *x* or *ai*.

Second Person Singular, *s* or *x*.

This final *s* is easily remembered because it is the initial letter of the word *second*.

(Only exception is the Imperative, First Conjugation, where *s* has been dropped.)

Third Person Singular, *e* or *t* or *c* or *d* or *a*.

This final *t*, the most frequent ending, is the initial letter of the word *third*.

First Person Plural,   *ons* or *mes*.

Second Person Plural, *ez* or *tes*.

Third Person Plural, *ent* or *ont*.

Assaillir, cueillir, ouvrir, couvrir, souffrir, offrir, even though irregular in some tenses, should be learned in the Present Indicative along with the regular verbs **parler** or **fermer,** because they have the same endings.

Je	parl	e
Tu	ferm	es
	entr	
Il	souffr	e
	offr	
Nous	couvr	ons
Vous	ouvr	ez
	assaill	
Ils	cueill	ent

HELPFUL HINTS

Learn the Present Indicative of **croire** and of **voir** at the same time.

Je	cr	ois
Tu		ois
Il	v	oit
Nous		oyons
Vous		oyez
Ils		oient

Learn **devoir** and **boire** at the same time, also **pouvoir** and **mouvoir**.

Je	d		ois	Je	p	eux
Tu	b		ois	Tu	m	eux
Il			oit	Il		eut
Nous	dev		ons	Nous		ouvons
Vous	buv		ez	Vous		ouvez
Ils			oivent	Ils		euvent

Remember that in translating sentences, whenever you have a Past Participle used in your English verb-form, you must have one in French.

For example,

> She has *gone*, **Elle est** *partie.*
> We had *refused*, **Nous avions** *refusé.*

Device to Fix in the Mind the Use of the Tenses

Attach to each sentence in the Present the word **aujourd'hui**.

To each sentence in the Past Indefinite the word **hier**.
To each word in the Future the word **demain**.
For example, **Aujourd'hui j'étudie ma leçon.**

Hier j'ai étudié ma leçon.
Demain j'étudierai ma leçon.

The insertion of **aujourd'hui** or **maintenant** in a sentence will likewise cure the tendency to misuse the progressive form (*je suis étudiant ma leçon*), which is very bad.

To understand the use of the Past and Future tenses, compare the use of the auxiliary — *before the verb* — in the Past Indefinite and — *after the verb* — in the Future.

That is to say, when the action has happened, put **j'ai, tu as, il a** first and then the main verb, but when the action is going to happen, put the verb first that shows what action is going to happen, and then put the **ai, as, a** after the verb.

Example:

Past Indefinite, action has happened, auxiliary first.

J'*ai* étudié.   Tu *as* étudié.

Future, action about to happen, auxiliary last.

J'étudier*ai*.   Tu étudier*as*.

Compare the English,

Past tense, action has happened, auxiliary first.

I have studied,   I can play now.

Future tense, action about to happen, auxiliary last.

In order *to study* my lesson *I have* to stay in.   I can't play now.

Device to Assure Accuracy in Agreement

Link the subject and verb, link the adjective and noun, link the past participle ending with the direct object preceding, etc.

Examples: Il *a* étudié *sa* leçon.

               Ils *les* ont v*us*.

               Elles *se* sont flatt*ées.*

PRONUNCIATION

The best starting-point to learn to speak French is to notice the mistakes of a Frenchman trying to learn to talk English. The mistakes he makes are due to the differences between his language and English.

If you can't hear a native Frenchman, listen to an American actor taking off a Frenchman. Listen to him say, *She is very pretty.* It sounds like

She eez vay rree prree tee.

(1) The first thing you notice is that he is very animated, even when saying so simple a sentence. His eyes sparkle, his face lights up, he uses his face muscles a great deal, he pulls his lips back against his teeth, throws them forward, he shows his teeth, you see his tongue, all his organs of speech get a great deal of gymnastic exercise.

That is the first lesson you must learn in pronouncing French. Imitate the Frenchman, use the muscles of your face freely.

(2) Next you notice that all his vowel sounds are sharp, clear, distinct, close. There are no swallowed, indistinct sounds as in English. Resolve to pronounce your French that way, sharp, clear, close, clean. For example, compare the American way of saying *very* with the Frenchman's *vay-rree*. The French word **mil** should sound almost like the English word *meal* except that most Americans don't

say *meal*, but incorrectly say *me-ul*. That sort of vanishing *u* sound should never creep into your French pronunciation.

(3) You notice next that the Frenchman does not pronounce the word *is* and *pretty* with a short *ĭ* sound the way the American does. The reason is that the short *ĭ* sound does not exist in French. Therefore, never use it. Always pronounce the letter that looks like *i* just the way the Frenchman does, like an English *ee*. For example, the French word **mil** is sounded like English *meal*, not like English *mill*.

(4) Next you notice that the Frenchman gets an effect from his pronunciation of *very* and *pretty* different from that of the American. He gets this effect by dividing his syllables differently. In French every syllable must begin with a consonant sound. That is why you must say

  vay—ree, not *ver—y*,
  pree—tee, not *prett—y*, or even *pret—ty*.

The American pronounces *American* as though it were *um-mer-rik-kun*.

The Frenchman pronounces **américaine** as though it were **ah-may-ree-kenn**.

The American pronounces *river* as though it were *riv-vur*.

The Frenchman pronounces **rivière** as though it were **ree-vee-airr**.

These are the four most distinctive differences between French and English pronunciation. Watch them carefully if you want your French to sound like painstaking Parisian pronunciation instead of slovenly American.

(1) Use freely the muscles of your face and your vocal organs.

(2) Pronounce clearly, closely, sharply, distinctly.

(3) Begin every syllable with a consonant and end it with a vowel.

(4) Pronounce no short *ĭ* sound; pronounce *i* like *ee* always.

Stress

There are other important points in French pronunciation to be learned from the Frenchman's mistakes in English.

Listen to his stress, emphasis, accentuation. He is likely to say *vocabúlary, empphásis, mechanícal, nationalitý.*

The reason is that in French there is practically no stress. The last pronounced syllable of every word gets a little bit of emphasis just because it is the last.

Examples: **nationali*té*, vocabu*lai*re, méca*ni*que.**

And when you hear a Frenchman pronounce a sentence, you notice the lack of accentuation. He runs along through a whole sentence on even tone until he comes to the last pronounced syllable to which he gives a slight stress.

Example: **Je vais vous téléphoner de*main*.**

Sometimes you will notice a slight stress on the last pronounced syllable of a thought-group, followed by a very slight pause and, perhaps, a quick catching of the breath, but there is no rapid rise and fall of accentuation as in English.

Improve your pronunciation by reading entire sentences without a break. Learn, not individual words, but thought-groups. Learn, not **je** for *I*, **parle** for *speak*, and **français** for *French*, but **Je parle français** as the way to express *I speak French*. Learn, not **avoir envie de**, but **J'ai envie d'apprendre le français**. Why? Because we think in sentences, we express our thoughts in sentences.

Pitch

Another point you notice in the Frenchman's pronunciation is the high pitch. He places his voice higher than we do in English. One reason for this is the fact that all French sounds are pitched high and forward in the mouth; they must be thrown on to the teeth and lips. Another reason is due to the lack of accentuation.

Therefore when you speak French you must consciously pitch your voice higher than when you talk English.

Liaison

Liaison is looked upon generally as a peculiar characteristic of French. It is just as common in English.

Liaison is the *linking* of succeeding words, that are connected in sense, by carrying over the sound of the last consonant of the preceding word to the following vowel or silent *h* of the succeeding word.

Say in English — *I never even heard of it*. Say it fast. It sounds like *Ine never reeven herdovit*. You carry the *n* back to the *I*, the *r* over to the *e*, the *d* to the *o*, the *f* to the *i*. You even change the sound of *f* to a *v*, just the same as the French do. The phenomenon is just as characteristic of English as of French, except that it is not considered good usage in English, is even considered slovenly and inelegant, while in French it is proper and, in fact, required.

French liaison is required by the law that every syllable must begin if possible with a consonant sound. A word beginning with a vowel can thus borrow an initial consonant from the end of the preceding word.

Example: me/s ami/ s on/t accueilli leur/ s amis.

Hiatus

Hiatus is the coming together of two vowel sounds in succeeding words. The French abhor hiatus. They have invented various methods of preventing it. These methods, however, are no more characteristic of French only, than liaison is.

The first method is to put a euphonic **t** between the vowels.

Example: **a-*t*-il, parle-*t*-il.**

This method satisfies the rule that a syllable must begin, if possible, with a consonant sound. *t*-il thus becomes the syllable, not **il**. This phenomenon is exactly the same as in the Eastern States of America where it is customary incorrectly to introduce a euphonic *r*.

Example: Mama/r/ and I saw/r/ Emma/r/ and her Mama/r/.

The second method consists in using a different form of a word; for example, the masculine for the feminine, as in the example, **mo*n* excuse**. This method also satisfies the rule that a syllable must, if possible, begin with a consonant sound. The syllable thus becomes ***n*ex**, not **ex.** This phenomenon is exactly the same as in English, when we use *an* for *a* before a vowel.

Example: a**n** orange, a**n** accident.

The third method consists in dropping one of the vowels. This, too, is just what is done in English, except that the Frenchman always drops the *first* vowel, the English always drops the *second* one.

Examples: French — **j'ai, l'ami.** English — *He's, we're.*

This third method also satisfies the French rule for the consonantal beginning of syllables.

REGULARITY OF IRREGULARITIES

So-called *irregularities* recur so *regularly* under the same conditions that there is nothing irregular about them at all.

Especially important is it to notice how easy it is to learn the so-called hard irregularities.

Notice:

bo**n**	becomes	bo**nn**e	**n** doubles before a mute syllable.
nous pre**n**ons	"	ils pre**nn**ent	**n** doubles before a mute syllable.
crue**l**	"	crue**ll**e	**l** doubles before a mute syllable.
nous appe**l**ons	"	ils appe**ll**ent	**l** doubles before a mute syllable.
m**e**	"	m**oi**	**e** becomes *oi* under stress.
nous d**e**vons	"	je d**oi**s	*e* " *oi* " "

nous v**ou**lons becomes ˋe v**eu**x   **ou** becomes **eu** under stress.
nous m**ou**rons   "   je m**eu**rs **ou**   "   **eu**   "   "

All these vowel changes are just exactly the same as the change in the sound of *a* under stress in the English words, *n*a*tion, n*a*tion*a*lity.*

CONCERNING ACCENTS

Accents are not hard to remember. They occur only over vowels, never over consonants.

The accent is nothing more than a letter *s* that has degenerated, and is laid on top of the vowel instead of standing alongside of it. The early scribes used to write it that way in order to save space. Cf.:

Lat. MAGISTER, *Old Fr.* MA̤ITRE, *Mod. Fr.* MAÎTRE.

Through careless copying of the three strokes of this "и" sometimes only the first stroke was preserved, making the accent **grave**, "ˋ"; sometimes only the second stroke was preserved, making the accent **aigu**, "ˊ"; and sometimes the second and last strokes were both preserved, making the accent **circonflexe**, "ˆ".

This Latin and old French *s* is still preserved in other languages. Cf.:

Latin	*Spanish*	*Italian*	*German*	*English*	*French*
scribere	escribir	scrivere	schreiben	(in)scribe	écrire
statum	estado	stato	staat	state	état
magister	maestro	maestro	meister	master	maître

When you realize that the accent in French is nothing more than a degenerated *s* it is perfectly clear that if in a French word there is an *s* written after the vowel, there must be no accent written over it, for that would be equivalent to writing two *s*'s.

Example: esp**é**rer, e**x**cuse.

If the initial letter *e* or the final letter *e* of a French word is to be accented, it must always have an acute accent, "*'*".

Examples: **é**té, **é**mancip**é**, **é**vapor**é**.

Compare the following English and French words to see how the English shows the initial *s* where the French word of the same meaning shows an initial acute accented **é**.

English	*French*	*English*	*French*
stranger	étranger	school	école
stuff	étoffe	sluice	écluse
spices	épices	spell	épeler
sponge	éponge	scum	écume
study	étude	spine	épine
stable	étable	stall	étal
scaffold	échafaud	escutcheon	écusson
scarf	écharpe	establish	établir

Compare the following words in English and French to see how the English words show an *s* where the French words of the same meaning show the degenerated *s* written as the circumflex accent, especially before a *t*.

English	*French*	*English*	*French*
haste	hâte	forest	forêt
paste	pâte	pasture	pâture
ro(a)st	rôti	hostelry	hôtel

be(a)st	bête	hospital	hôpital
co(a)st	côte	master	maître
fe(a)st	fête	isle	île
arrest	arrêt	vestment	vêtement

A letter *e* that is final, if it is to be accented, must always have the acute accent. Remember to bring the stroke down from right to left, from outside of the word back to it, just the same as you would write the down stroke of the final letter *d* in an English Past Participle. Cf.:

English	*French*
foun**d**	trouv**é**
loane**d**	prêt**é**

If the letter *e* is followed by a consonant (or a group of consonants), which in turn is followed by an unaccented *e*, the first *e* takes a grave accent.

Examples: père, élève, crèche.

Never put an accent over an *e* that stands before a double consonant.

Examples: effrayer, erreur.

THE FUTURE TENSE

How often we say in English,

"I shall not go skating with you, I have to study this afternoon."

"Will you go to the theater with me to-morrow? No, I cannot, I have to write letters."

I have to study means *I shall study* this afternoon, and *I have to write* means *I shall write* letters to-morrow. Both these sentences refer to future time.

The Future Tense is made up of the pronoun, the infinitive, and the present tense of the indicative of **avoir**. This is due to the fact that the Vulgar Latin, from which French comes, did not use a form like "I shall study" to express the future, but said "I have to study," as we sometimes say in English. Note,

Latin:	Ego studere habeo.	Nos studere habemus.
French:	J' étudier ai.	Nous étudier ons.
Latin:	Tu studere habes.	Vos studere habetis.
French:	Tu étudier as.	Vous étudier ez.
Latin:	Ille studere habet.	Illi studere habent.
French:	Il étudier a.	Ils étudier ont.

ONLY POSSIBLE ENDINGS FOR FRENCH VERBS

1st Person Singular	ai	*or*	e	*or*	s (x)
2d Person Singular[1]					s (x)
3d Person Singular	a	*or*	e	*or*	t (d, c)
1st Person Plural	ons	*or*			mes
2d Person Plural	ez	*or*			tes
3d Person Plural	ent	*or*			ont

WORD ORDER

In English the **negative** *not* always comes just **between** the two parts of a verb.

Examples: I *am* **not** *going*. She *does* **not** *do* that.

In French it is just the opposite; it is the **verb** that stands **between** the two parts of the negative.

[1] *s* dropped in first conjugation verbs except before *y* and *en*.

Examples: **Je *ne vais pas*. Elle *ne fait pas* cela.**

In English you can say either, *I **often** go there* or *I go there **often**; He **always** speaks* or *He speaks **always**.* The adverb in English may come before the verb or after it. But in French the adverb can never precede the verb; it must always follow it.

Examples: **J'y vais *souvent*. Il parle *toujours*.**

When there is a Past Participle in the sentence, the adverb must come before it. Here again, there is a choice of positions in English, but no choice in French.

*I have not **often** refused* is just as proper as *I have not refused **often**. He has not entered **yet*** is as proper as *He has not **yet** entered*, but in French there is only one way: **Je n'ai pas *souvent* refusé**, and **Il n'est pas *encore* entré**.

N'EST-CE PAS?

You have often noticed foreigners learning English say, *It's a fine day to-day, ain't it?* or *You have a new auto, ain't it?* This improper use of *ain't it* is due to the fact that in most European languages a similar expression is always used.

In Italian, *non è vero?*   German, *nicht wahr?*
Spanish, *¿ no es verdad?*   Russian, *ni pravda?*

Likewise, in French, you must accustom yourself to using this **n'est-ce pas?** after all sorts of statements to make them interrogative.

Examples: **Il fait beau aujourd'hui, n'est-ce pas?**
Vous viendrez avec nous, n'est-ce pas?
Quelle belle auto, n'est-ce pas?

In the same way accustom yourself early to use the expressive introductory phrases that are so characteristic of French and will give your French the proper French atmosphere.

Examples: **Et puis, et alors, figurez-vous,** etc.

OBJECT PRONOUNS

Notice that the Object Personal Pronouns of the Third Person are just exactly the same as the definite article of the same gender. If a question is asked, all you have to do to get the proper pronoun for the answer is to seize the definite article from before the noun, call it a pronoun, and put it before the verb.

Détestez-vous *le* garçon?
   Je   *le* **déteste.**
Détestez-vous *la* jeune fille?
   Je   *la* **déteste.**
Détestez-vous *les* maîtres?
   Je   *les* **déteste.**

Remember to put the object pronoun before the verb of which it is the object, no other.

Examples: **Allez-vous visiter *le* musée?**
    Je vais *le* visiter.

    N'avez-vous pas visité *le* musée?
    Je ne *l'*ai pas visité.

It will help you to remember, and also to show you how simple French is, to note the following

Similarities

	Masc Sing.	Fem. Sing.	All Plurals
Definite Article	**le**	**la**	**les**
Personal Direct Object Pronoun	**le**	**la**	**les**

Possessive Adjective	mon, ton, son	ma, ta, sa	mes, tes, ses
Partitive	du	de la	des
Demonstrative Adj.	ce (cet)	cette	ces

READING

Read entire thought-groups without breaking them, and give a slight stress to the last pronounced syllable of the group.

Example: **A-t-il acheté la mais**on ‖ **que vous lui avez re-comman***dée*?

Never stop on the monosyllables **je, me, le, se, de, que,** etc. Read them right into the next pronounced syllable.

Example: **Il ne me le donne pas** should sound like **Il n'm'l'donne pas.**

To prove that the *e* unaccented and standing thus between consonants is generally not heard, note that

Elle vaut   mille francs and
Elle vomit   le franc are pronounced exactly alike.

THE SIMPLEST RULE FOR ORDER OF PRONOUN OBJECTS

Memorize this rule, **Je, me, le, lui,** *verb.* Say it over to yourself until you are sure that you know it forever. Then all you have to keep in mind is:

Je stands for all subjects.

Me stands for all pronouns except the third person, and for reflexives.

Le also stands for **la** and **les**.   **Lui** also stands for **leur**.

Another rule for order of object pronouns including **y** and **en**.

1st	2d	3d	lui or	y, en, verb
person	person	person	**leur**	

HELPFUL HINTS

(Read across the two pages.)

A PARADIGM FOR

Disjunctive Pronoun or Interrogative Adverb	Est-ce que	Subject and Modifiers	First Half of the Negative	Personal Object Pronouns of the First Person	Second Person	Third Person	Lui or leur	Adverbial Pronoun y
		Je	ne			l'		
		Mon père		m'				
		Le grand garçon	ne			l'		y
Moi,		je	ne		vous			y
		Il				le	lui	
		Les deux jeunes filles				se		
Elle,	est-ce qu'	elle			vous			
Pourquoi	est-ce que	notre mère	ne	nous		les		
	Est-ce que	vous						
		Qui	n'					

WORD ORDER

Partitive Pronoun en	Auxiliary or Simple Verb	Second Half of the Negative	Adverb	Tout	Past Participle	Object Noun and Modifiers or Indefinite Pronoun
	ai	pas			rencontré.	
en	a				envoyé	une douzaine.
	a	jamais			mis.	
en	apporterai	pas.				
	donne		toujours.			
	sont		souvent		écrit	des lettres.
	a	jamais			donné	quelque chose?
	a	pas	déjà		donnés?	
	avez		déjà	tout	vu?	
	a				vu	personne?

DON'TS

In general it is always more effective to learn what *is* than what is *not*. But certain "don'ts" may make the way of the learner smoother. *Examples:*

Don't ever write or say **plus bon**. Correct form is **meilleur**.

Don't ever write or say **plus mieux**. Correct form is **mieux**.

Don't ever write or say **s'a**. Correct form is **s'est**.

Don't ever write or say **m'ai**. Correct form is **me suis**.

Don't ever write or say **s'ont**. Correct form is **se sont**.

Don't ever write or say **de + le +** noun. Correct form is **du +** noun.

Don't ever write or say **à + le +** noun. Correct form is **au +** noun.

Don't ever write or say **de + les +** noun. Correct form is **des +** noun.

Don't ever write or say **à + les +** noun. Correct form is **aux +** noun.

Don't ever write or say **touts**. Correct form is **tous**.

Never end a Third Person Singular verb in *s*.

Never modify **beaucoup** by any word.

DEVICES FOR VOCABULARY BUILDING

"A Word a Day Makes the Vocabulary Stay."

Increase your vocabulary by grouping opposites.

grand — petit	au-dessus — au-dessous
riche — pauvre	sur — sous
acheter — vendre	avec — sans
haut — bas	aller — rester

HELPFUL HINTS

Increase your vocabulary by grouping according to Derivative Roots.

produire	construire	détruire
produção	construction	destruction
productif	constructif	destructif
producteur	constructeur	destructeur
productivité	constructivité	destructivité

produire — construire — détruire
production — construction — destruction
productif — constructif — destructif
producteur — constructeur — destructeur
productivité — constructivité — destructivité

facile — honorable — admirable — préférable
facilité — honneur — admiration — préférence
faciliter — honorer — admirer — préférer
facilement — honorablement — admirablement — préférablement

général — public — sec — utile
généralité — publicité — sécheresse — utilité
généraliser — publier — sécher — utiliser
généralement — publiquement — sèchement — utilement

correct — négligent — distinctif — soigneux
correction — négligence — distinction — soin
corriger — négliger — distinguer — soigner
correctement — négligemment — distinctement — soigneusement

simple — glorieux — défensif
simplicité — gloire — défense
simplifier — glorifier — défendre
simplification — glorification — défensive
simplement — glorieusement — défendeur

Continue the same way for the adjectives **terrible, décisif, visible, mort, vif, actif, raisonnable, paisible, humble,** and the adjectives of the lessons as they appear.

Increase your vocabulary by grouping the words that are the same or nearly the same as in English, the meaning of which is perfectly apparent.

Words the Same

Nouns ending in -ion	Words ending in -able	Words ending in -al	Words ending in -ure
nation	adorable	royal	nature
ambition	lamentable	radical	sculpture
illusion	inévitable	général	capture

Words ending in -ible	Words ending in -ance or -ence	Words ending in -ant	Words ending in -ent
intangible	ignorance	arrogant	mouvement
compréhensible	expérience	vacant	inhérent
possible	vengeance	brillant	compliment

Words ending in -ice	Words ending in -age
justice	village
armistice	garage
(ac)complice	cage

Additional Words

General	Animals	Flowers
commerce	éléphant	rose
part	lion	dahlia
plan	rat	tulipe
point	crocodile	lilas
place	rhinocéros	chrysanthème
danger	serpent	rhododendron

Words Nearly the Same

VEGETABLES	FRUITS
carotte	abricot
radis	orange
tomate	banane
lentille	pêche

Words ending in Fr. **-té**, Eng. *-ty*

électricité	electricity
société	society
nationalité	nationality
beauté	beauty

Words ending in Fr. **-iste**, Eng. *-ist*

journaliste	journalist
artiste	artist
publiciste	publicist
dentiste	dentist

Words ending in Fr. **-sme**, Eng. *-sm*

rhumatisme	rheumatism
magnétisme	magnetism
dogmatisme	dogmatism
spasme	spasm

Words ending in Fr. **-eux**, Eng. *-ous*

fameux	famous
mélodieux	melodious
spacieux	spacious
capricieux	capricious

Words ending Fr. **-eur**, Eng. $\begin{cases} \text{-}or \\ \text{-}er \end{cases}$

fourreur	furrier
sculpteur	sculptor
docteur	doctor
directeur	director

Words ending in Fr. **-aire**, Eng. *-ary*

primaire	primary
révolutionnaire	revolutionary
dictionnaire	dictionary

Words ending Fr. **-if**, Eng. *-ive*

actif	active
alternatif	alternative
motif	motive

Words ending in Fr. **-ique**, Eng. *-ic*

électrique	electric
énergique	energetic
problématique	problematic

Words ending in Fr. **-el**, Eng. *-al*

criminel	criminal
individuel	individual
fraternel	fraternal

Words ending in Fr. **-ence**, Eng. *-ency*

agence	agency
compétence	competency

Words ending in Fr. **-ainte**, Eng. *-aint*

complainte	complaint
plainte	plaint

Words ending in Fr. **-ie**, Eng. *-y*

compagnie	company
photographie	photography
philosophie	philosophy

Words ending in Fr. **-oire**, Eng. *-ory*

consistoire	consistory
directoire	directory
dérogatoire	derogatory

Words ending in Fr. **-ier**, Eng. *-er, -eer*

officier	officer
cannonier	cannoneer
muletier	muleteer

Words ending in Fr. **-esse**, Eng. *-es, -ty*

richesse	riches
noblesse	nobility

Words ending in Fr. **-phe**, Eng. *-pher*

philosophe	philosopher
photographe	photographer

Adverbs ending in Fr. **-ment**, Eng. *-ly*

certainement	certainly
récemment	recently
simplement	simply

Words ending in Fr. **-de**, Eng. *-d*

méthode	method
acide	acid
solide	solid

HINTS ON GENDER

La semaine is a feminine noun, but the names of all days are masculine, **le lundi, le mardi**, etc.

La saison is a feminine noun, but the names of the seasons are all masculine, **l'été, le printemps**, etc.

HELPFUL HINTS

La lettre is a feminine noun, but the names of all the letters are generally used in the masculine, **le v, le t,** etc.[1]

La date is a feminine noun, but the dates are all masculine, **le 1er janvier, le 14 juillet,** etc.

Le fruit is a masculine noun, but the names of most fruits are feminine, **la pomme, la pêche,** etc. (except **le melon, le raisin, l'abricot**).

There is no positive rule for determining the gender of French nouns. Learn the gender when you learn the noun. In general, if you know no reason why a new word should be feminine, make it masculine. In eight cases out of ten, you will be right.

Notice: the following are usually

Masculine	*Feminine*
Nouns ending in **-age**	Nouns ending in **-ion**
le voyage	la passion
le garage	la révolution
le mariage	la réflexion
(except la cage, page, image, nage, plage, rage)	Nouns ending in **-esse**
Nouns ending in **-ège**	la noblesse
le piège	la richesse
le manège	la sagesse
le cortège	
Nouns ending in **-ment**	Nouns ending in **-ette**
le contentement	la maisonette
le mouvement	la serviette
le redoublement	la violette

[1] *f, h, l, m, n, r, s,* are sometimes used as *feminine.*

Masculine — *Feminine*

Names of males
- le père
- le général
- le médecin

Names of females
- la mère
- la reine
- la gouvernante

Names of agents in **-eur**
- le rédacteur
- l'acteur
- le rebouteur

Nouns ending in **-ier**
- le cuisinier
- l'épicier
- le tablier

Names of agents in **-iste**
- l'artiste
- le dentiste

Nouns ending in **-sme**
- l'enthousiasme
- l'organisme

Nouns ending in **-phe**
- le photographe
- le télégraphe

Nouns ending in **-ain**
- l'humain
- le terrain

Abstract nouns ending in **-eur**
- la pâleur
- la douleur
- la laideur

Nouns ending in **-ure**
- la nature
- la facture
- la fourrure

Names of agents in **-euse**
- la chanteuse
- la danseuse
- la masseuse

Names of agents in **-ice**
- l'actrice
- l'impératrice
- la bienfaitrice

Nouns ending in **-ie**
- la folie
- la modestie
- la sympathie

HELPFUL HINTS

Masculine

Nouns ending in vowels not e
- le bijou
- le midi
- le jeu

Nouns ending in consonants
- le tact
- le tambour
- le talon
- le recoin
- le fond
- le talent

Nouns ending in **-acle**
- le spectacle
- l'oracle

Nouns ending in **-ère**
- le mystère
- le presbytère

Nouns ending in **-ème**
- le diadème
- le blasphème

Names of cardinal points, seasons, trees, metals, chemicals.

Feminine

Nouns ending in **-té**
- la beauté
- la bonté
- la pauvreté

Nouns ending in **-ance**
- la créance
- la croyance

Nouns ending in **-ence**
- l'éxistence
- l'expérience
- l'influence

Nouns ending in **-que**
- la banque
- la musique
- la démoniaque

Nouns ending in **-ude**
- l'habitude
- la gratitude
- la multitude

Nouns ending in **-ière**
- la crémière
- la patissière

Nouns ending in -e preceded by a double consonant
- la taille
- la crasse
- la recherche
- la table

THE PHONETIC ALPHABET

FRENCH has 37 sounds and only 26 letters. Therefore, combinations are often made of several letters to represent one single sound. In order to have an alphabet in which every symbol would represent one sound only, and every sound would have one symbol only, an alphabet was invented and has come into universal use under the name of the *Alphabet Internationale Phonétique*.

This International Phonetic Alphabet has been found to be a great aid in acquiring accurate pronunciation.

Of the 37 characters, 24 are the same as in the English alphabet and, therefore, present no special difficulties to the learner. They are: ɑ, a, b, d, e, f, g, h, i, j, k, l, m, n, o, p, r, s, t, u, v, w, y, z.

Of the remaining 13 characters, (ə) and (ɥ) are inverted (e) and (h), (ɛ) is the Greek letter *epsilon*, (ɔ) is an unfinished (o) that represents literally an "opened" (o), (ø) is taken from the Danish, (œ) is an Old French combination, (ɲ) is supposed to picture the union of (g) and (n) in the *ny* sound heard in the English word *canyon*, (ʃ) is an Old English (s), (ʒ) is taken from the written character for (z), and the Spanish *tilde* (~) is written over the ɑ̃, ɛ̃, ɔ̃, and œ̃ to represent the nasal sounds so characteristic of French.

For convenience in reference the phonetic sounds have been numbered. It will help the learner if he will associate the number with the character.

International Phonetic Symbol	How Written in French	Examples
VOWELS (12)		
(1) **a** (open)	a	la, salle, part, travail
	à	à, déjà
	â	-âmes, -âtes (verb endings)
	oi	(wa) boire, voilà, moi
	oy	(wa) loyal, citoyen
	e(m)	femme, ardemment
	e(n)	hennir, solennel
(2) **ɑ** (closed)	a	pas, nation, classe, gaz, Versailles
	â	âge, pâte, mât
	oi	(wa) trois, croix, mois
	oê	(wa) poêle
(3) **ə** (silent or nearly so)	e	de, mener, autrefois, porte
	o(n)	(exceptional) fredonner, monsieur
	ai	faisant, faisons
(4) **ɛ** (open)	e	projet, verte, avec, conseil, veille
	è	mère, remède, modèle
	é	céderai, posséderons
	ê	bête, même
	ei	treize, seize, neige
	ey	asseyer, asseyons
	ai	faites, donnait, palais, craie
	ay	rayon, payer
(5) **e** (closed)	e	assez, et, des, cahier, parlez, effort, descendre, essuyer
	é	été, déjà, répété
	ai	j'ai, aurai, gai, sais
	oe	(exceptional) Phoebé, Oedipe
(6) **œ** (open)	eu	seuil, jeune, neuf, heureux
	œu	sœur, œuvre, œuf
	ue	accueil, orgueil

THE PHONETIC ALPHABET

INTERNATIONAL PHONETIC SYMBOL	HOW WRITTEN IN FRENCH	EXAMPLES
(7) ø (closed)	eu	feu, dieux, heureuse, neutre
	œu	œufs, vœux
	eû	jeûner
(8) i	i	fille, si, vif, agiter
	î	finît, île
	y	physique, syllabe
(9) ɔ (open)	o	octobre, hospice, économe, Rome, votre, école, fort, bonne
	ô	(unusual) hôpital, rôti, hôtel
	au	aurai, mauvais, Paul
	u(m)	(foreign words) album, pensum
(10) o (closed)	o	sot, bravo, émotion, grossier
	ô	la côte, diplôme, le vôtre
	au	autel, caution, saucisse
	eau	beau, marteau
(11) y	u	pur, amuse, turc
	û	fût, mûr, piqûre
	eu	(in verb avoir) eu, qu'il eût
(12) u	ou	ouvrir, loup, mousse
	où	où
	oû	soûl, goût, août

NASAL VOWELS (4)

(13) ɛ̃	in	fin, foin, juin
	im	limpide, simple
	yn	syntaxe, lynx
	ym	nymphe, sympathie
	ain	mainte, vaincre
	aim	faim, daim
	ein	dessein, peinture
	eim	Rheims
	(i)en	bien, viendrai, chiens

International Phonetic Symbol	How Written in French	Examples
	(y)en	moyen, Troyen
	(é)en	européen, lycéen
	en	examen, Rubens
(14) ã	an	banc, France, Jean
	am	camp, champagne
	en	centre, enfant, sens
	em	assemblant, membre
(15) ɔ̃	on	oncle, conte, savon
	om	compter, pronom, rompt
	un	(foreign words) Dunkerque, Duncan
	um	(foreign words) lumbago, résumption
(16) œ̃	un	brun, défunt, un
	um	humble, parfum
	eun	á jeun, Meung

SEMI-VOWELS (3)

(17) j	i (semi-vowel)	liaison, piano, hier, monsieur, bestial, nation, portiez
	y (semi-vowel)	yeux, il y a, payer
	il	travail, soleil, grésil, l'œil
	ill	feuille, juillet, fille
(18) ɥ	u	(before a vowel) nuage, lui, juin
(19) w	ou	(before a vowel) douane, Louis, loueur, oui
	u	(before a vowel) lingual, square, équation
	o	(before a vowel) mois, moyen, foin
	w	(in foreign words) sandwich, railway
	wh	(in foreign words) whist, whiskey

THE PHONETIC ALPHABET xlvii

INTERNATIONAL PHONETIC SYMBOL	HOW WRITTEN IN FRENCH	EXAMPLES
	CONSONANTS (18)	
(20) b	b	bas, robe
(21) d	d	de, rade, Alfred
(22) f	f	fort, bœuf
	ff	effort, effrayer
	ph	philosophe
(23) ʒ	j	je, jaune, joli
	g (e, i, y)	gens, Georges, gibier, gymnase
	(g)g	suggestion
(24) g	g (a, o, u)	garçon, golfe, guide, grec
	g(g)	aggraver, suggestion
	c	(special case) second
	x(gs)	exercice, examen, exiler
(25) h	h	(rare except in strong emotion) aha, une honte
(26) k	c (a, o, u)	car, esclave, avec
	cc (a, o, u)	succulent
	c(c)	accident, successive
	ch	(usually foreign words) archaïque, chrétien, Bacchus, Machiavel
	ck	bifteck, jockey, Necker
	q	cinq, coq
	qu	que, qui, vainquons
	k	kilo, képi, shako
	g	(in liaison) sang‿impur
	x	exception, excessif
	x(ks)	explorer, Alexandre, exclamation
	qu(kw)	équateur, quarto, square
(27) l	l	colonel, follicule, table
	ll	illégal, Lille
(28) m	m	dame, marmite, album, hymne
	mm	immoral, grammaire, ardemment

THE PHONETIC ALPHABET

INTERNATIONAL PHONETIC SYMBOL	HOW WRITTEN IN FRENCH	EXAMPLES
(29) n	n	inanimé, nominatif, amen
	nn	anneau, hennir, donner, innocent
(30) ɲ	gn	ignorant, signal, campagne
(31) p	p	papier, laps, pneu, psychologie
	pp	appétit, nappe
	b	(exceptional) absurde, observer, obtenir
(32) r	r	rare, perdre, trottoir, fer
	rr	erreur, arrière, irrégulière
(33) s	s	poste, sincère, sens, mars, parasol
	ss	casser, cassis
	sc	science, scepticisme
	c (e, i, y)	ceci, cent, social
	ç	garçon, reçu
	(c)c	accident, successeur
	t(i)	sensation, aristocratie, portion
	x	soixante, six, Bruxelles
	z	Suez, Metz
(34) z	z	azure, zéro, gaz
	s	maison, rose (in liaison) mes‿amis
	x	deuxième, dix-neuf (in liaison) aux‿armes
(35) ʃ	ch	chat, cacher, architecte
	sch	schisme, schiste, kirsch
	sh	shako
(36) t	t	tas, chut, questions, garantie, contact, rôti, nous portions
	tt	patte, trottoir
	t(h)	théâtre, sympathie, Elizabeth
	d	(in liaison) répond‿elle

THE PHONETIC ALPHABET

INTERNATIONAL PHONETIC SYMBOL	HOW WRITTEN IN FRENCH	EXAMPLES
(37) v	v	veuve, vivant, vrai
	w	(in foreign words) wagon, Weber
	f	(in liaison) neuf‿ans
ː		sign of length

LE SANSONNET
lə sɑ̃sɔnɛ

(A Transcript in the International Phonetic Alphabet of the Story, p. 27)

Le vieux soldat Maurice a dans sa chambre un
1 lə vjø sɔlda mɔris a dɑ̃ sa ʃɑːbr œ̃ 1
sansonnet qui a appris à prononcer quelques mots.
2 sɑ̃sɔnɛ ki a apri a prɔnɔ̃se kɛlk mo. 2
Par exemple, quand Maurice dit : "Où est mon
3 par ɛgzɑ̃pl, kɑ̃ mɔris di : "u ɛ mɔ̃ 3
petit sansonnet?" l'oiseau répond aussitôt, "Je suis
4 p(ə)ti sɑ̃sɔnɛ?" lwazo repɔ̃ tosito, " ʒə sɥi 4
ici."
5 zisi." 5

Le jeune Charles, fils d'un voisin, aime beaucoup
6 lə ʒœn ʃarl, fis dœ̃ vwazɛ̃, ɛːm boku 6
le sansonnet. Un jour, Charles entre dans la
7 l(ə) sɑ̃sɔnɛ. œ̃ ʒuːr ʃarl ɑ̃ːtr dɑ̃ la 7
chambre, quand Maurice est absent. Il met l'oiseau
8 ʃɑːbr, kɑ̃ mɔris ɛ tapsɑ̃. il mɛ lwazo 8

dans sa poche, et quitte la chambre.
dɑ̃ sa pɔʃ e kit la ʃɑːbr.

Mais au même instant rentre le soldat. Pour faire plaisir à son jeune voisin, il demande, "Où est mon petit oiseau?"
mɛ o mɛːm ɛ̃stɑ̃ rɑ̃ːtr lə sɔlda. puːr fɛːr plɛziːr a sɔ̃ ʒœn vwazɛ̃, il d(ə)mɑ̃ːd, "u ɛ mɔ̃ p(ə)ti twazo?"

Aussitôt l'oiseau, caché dans la poche du petit garçon, crie de toutes ses forces, "Je suis ici, ici, ici."
osito lwazo, kaʃe dɑ̃ la pɔʃ dy p(ə)ti garsɔ̃, kri də tut se fɔrs, "ʒə sɥi zisi, isi, isi."

"LAFAYETTE, NOUS VOICI!"

General Pershing's epic phrase, pronounced at the grave of Lafayette in the Pictus cemetery at Paris, July 4, 1917, announcing the arrival in France of the first United States troops to join the Allies in the Great War.

CLASSROOM CONVERSATION

CLASSROOM VOCABULARY

l'école	*the school*	la lettre	*the letter*
la salle de classe	*the classroom*	la leçon	*the lesson*
		l'exercice	*the exercise*
le mur	*the wall*	le devoir	*the home-work (written) lesson*
le plancher	*the floor*		
le plafond	*the ceiling*		
la fenêtre	*the window*	le canif	*the penknife*
la porte	*the door*	le crayon	*the pencil*
l'armoire	*the closet*	la plume	*the pen*
le vestiaire	*the wardrobe*	la plume à réservoir	*the fountain-pen*
le bureau	*the desk*		
la table	*the table*	le porte-plume	*the pen-holder*
la chaise	*the chair*	l'encre	*the ink*
le tiroir	*the drawer*	l'encrier	*the inkstand*
le tableau noir	*the blackboard*	le buvard	*the blotter*
la craie	*the chalk*	la gomme	*the rubber*
la brosse	*the board rubber (eraser)*	la règle	*the ruler*
		le livre de lecture	*the reader*
le rayon } le rebord }	*the shelf, the ledge*	la grammaire	*the grammar*
le pupitre	*the desk*	le sujet	*the subject*
le banc	*the bench*	le verbe	*the verb*
la place	*the seat*	le complément, objet, régime	*the object*
le rang	*the row*		
la file	*the row*	le substantif (nom)	*the noun*
le livre	*the book*		
le carnet	*the memo-book*	l'adjectif	*the adjective*
le cahier	*the copy-book*	le pronom	*the pronoun*

première page

le temps	the tense	l'adverbe	the adverb
le genre	the gender	la syllabe	the syllable
le pluriel	the plural	la faute	the mistake
le singulier	the singular	l'examen	the examination
le masculin	the masculine	la note	the grade
le féminin	the feminine	le français	French
à l'affirmatif	affirmatively	l'anglais	English
à l'interrogatif	in the interrogative	Monsieur	Mister, sir
		Madame	Madam
au négatif	in the negative	Mademoiselle	Miss
le papier	the paper	le maître	the teacher
la feuille	the sheet	la maîtresse	the teacher (lady)
la page	the page		
la ligne	the line	le professeur	the professor
la phrase	the sentence	l'élève	the pupil
le mot	the word	le garçon	the boy
le stylo	the fountain-pen	la fille	the girl

For names of tenses, see Verb List, p. 193.

JOURS[1] DE LA SEMAINE (*Days of the Week*)

dimanche	*Sunday*	mercredi	*Wednesday*
lundi	*Monday*	jeudi	*Thursday*
mardi	*Tuesday*	vendredi	*Friday*
		samedi	*Saturday*

MOIS[1] DE L'ANNÉE (*Months of the Year*)

janvier	*January*	juillet	*July*
février	*February*	août	*August*
mars	*March*	septembre	*September*
avril	*April*	octobre	*October*
mai	*May*	novembre	*November*
juin	*June*	décembre	*December*

[1] *Names of days and months are all masculine.*

CLASSROOM EXPRESSIONS

bonjour	*good day*	là	*there*
bonsoir	*good evening*	combien (de)	*how many (much)*
adieu	*good-by*	il n'y a pas	*there is (are) not*
au revoir	*good-by till our next meeting*	voici	*here is (are)*
		voilà	*there is (are)*
pardon	*excuse me*	n'est-ce pas	*is it not*
s'il vous plaît	*if you please*	quel	*which (adj.)*
merci	*thanks*	que	*what (pron.)*
je vous remercie	*I thank you*	qui	*who*
		que	*whom*
il n'y a pas de quoi	*don't mention it*	qu'est-ce que	*what is*
		où	*where*
cela suffit	*that will do*	ceci, cela	*this, that*
c'est assez	*that's enough*	pourquoi	*why*
c'est cela (ça)	*that's right*	parce que	*because*
c'est bien	*that's all right*	comment	*how*
il y a	*there is (are)*	comment vous portez-vous	*how do you do (feel)*
y a-t-il	*is (are) there*		
très bien	*very well*	comment allez-vous	*how are you*
à gauche	*to the left*		
à droite	*to the right*	comment ça va	*how are you*
derrière	*behind*	je me porte bien	*I am all right*
à côté de	*at the side of*		
devant	*in front of*	je me porte mal	*I don't feel well*
près de	*near*		
à l'école	*to, at, in school*	ça va bien	*I am all right*
à la maison	*at home*	ici on parle français	*French spoken here*
aujourd'hui	*to-day*		
demain	*to-morrow*	debout	*standing*
hier	*yesterday*	assis	*seated*
ici	*here*	vite	*quickly*
venez ici	*come here*	lentement	*slowly*
mais oui	*yes, indeed*	mais non	*no, indeed*

CLASSROOM COMMANDS AND DRILL

[*Read across*

Levez-vous!	Que faites-vous?	Je me lève.
Get up!	*What are you doing?*	*I get up (I am getting up).*
Allez!	Où allez-vous?	Je vais.
Go!	*Where are you going?*	*I go (am going).*
Prenez!	Que prenez-vous?	Je prends.
Take!	*What do you take (are you taking)?*	*I take (am taking).*
Faites!	Que faites-vous?	Je fais.
Do!	*What are you doing?*	*I am doing.*
Effacez!	Qu'effacez-vous?	J'efface.
Erase!	*What do you erase (are you erasing)?*	*I erase (am erasing).*
Mettez!	Que mettez-vous?	Je mets.
Put!	*What do you put (are you putting)?*	*I put (am putting).*
Baissez!	Que baissez-vous?	Je baisse.
Lower!	*What do you lower (are you lowering)?*	*I lower (am lowering).*
Ramassez!	Que ramassez-vous?	Je ramasse.
Pick up!	*What do you pick up (are you picking up)?*	*I pick up (am picking up).*
Lisez!	Que lisez-vous?	Je lis.
Read!	*What do you read (are you reading)?*	*I read (am reading).*
Ecrivez!	Qu'écrivez-vous?	On écrit.
Write!	*What do you write (are you writing)?*	*We write (are writing).*
	Comment écrit-on?	
	How does one write?	

page quatre

CLASSROOM COMMANDS AND DRILL

the two pages.]

Nous nous levons.
We get up (are getting up).

Nous allons.
We go (are going).

Nous prenons.
We take (are taking).

Nous faisons.
We do (are doing).

Nous effaçons.
We erase (are erasing).

Nous mettons.
We put (are putting).

Il baisse.
He lowers (is lowering).

Il ramasse.
He picks up (is picking up).

Elle lit.
She reads (is reading).

J'écris.
I write (am writing).

Ils se lèvent.
They get up (are getting up).

Ils vont.
They go (are going).

Ils prennent.
They take (are taking).

Ils font.
They do (are doing).

Ils effacent.
They erase (are erasing).

Ils mettent.
They put (are putting).

Ils baissent.
They lower (are lowering).

Ils ramassent.
They pick up (are picking up).

Ils lisent.
They read (are reading).

Nous écrivons.
We write (are writing).

page cinq

CLASSROOM COMMANDS AND DRILL

[*Read across*]

Prononcez! *Pronounce!*	Comment prononce-t-on? *How do we pronounce?*	On prononce. *We pronounce.*
Répétez! *Repeat!*	Que répétez-vous? *What do you repeat?*	Je répète. *I repeat.*
Epelez! *Spell!*	Comment épelle-t-on? *How do we spell?*	J'épelle. *I spell.*
Conjuguez! *Conjugate!*	Comment conjugue-t-on? *How do we conjugate?*	Je conjugue. *I conjugate.*
Traduisez! *Translate!*	Comment traduit-on? *How do we translate?*	Je traduis. *I translate.*
Commencez! *Begin!*	Où commencez-vous? *Where do you begin?*	Je commence. *I begin.*
Répondez! *Answer!*	Que répondez-vous? *What do you answer?*	Je réponds. *I answer (am answering).*
Dites! *Say!*	Comment dit-on? *How do we say?*	Je dis. *I say (am saying).*
Ouvrez! *Open!*	Qu'ouvrez-vous? *What do you open (are you opening)?*	J'ouvre. *I open (am opening).*
Fermez! *Close!*	Que fermez-vous? *What do you close?*	Je ferme. *I close.*
Corrigez! *Correct!*	Que corrigez-vous? *What do you correct (are you correcting)?*	Je corrige. *I correct (am correcting).*
Ajoutez! *Add!*	Qu'ajoutez-vous? *What do you add (are you adding)?*	J'ajoute. *I add (am adding).*

page six

CLASSROOM COMMANDS AND DRILL

the two pages.]

Je prononce.
I pronounce.

Nous prononçons.
We pronounce.

Nous répétons.
We repeat.

Ils répètent.
They repeat.

Nous épelons.
We spell.

Ils épellent.
They spell.

Nous conjuguons.
We conjugate.

Ils conjuguent.
They conjugate.

Nous traduisons.
We translate.

Ils traduisent.
They translate.

Nous commençons.
We begin.

Ils commencent.
They begin.

Nous répondons.
We answer (are answering).

Ils répondent.
They answer (are answering).

Nous disons.
We say (are saying).

Ils disent.
They say (are saying).

Nous ouvrons.
We open (are opening).

Il, elle ouvre.
He, she opens (is opening).

Nous fermons.
We close.

Il, elle ferme.
He, she closes (is closing).

Nous corrigeons.
We correct (are correcting).

Il, elle corrige.
He, she corrects.

Nous ajoutons.
We add (are adding).

Il, elle ajoute.
He, she adds (is adding).

page sept

CLASSROOM COMMANDS AND DRILL

[*Read across*

Approchez-vous! *Approach!*	Vous vous approchez. *You approach (are approaching).*	Je m'approche. *I approach (am approaching).*
Asseyez-vous! *Sit down!*	Vous vous asseyez. *You sit down (are sitting down).*	Je m'assieds. *I sit down (am sitting down).*
Quittez! *Leave!*	Que faites-vous? *What are you doing?*	Je quitte. *I leave (am leaving).*
Comment vous appelez-vous? *What is your name?*	Je m'appelle. *My name is.*	Il s'appelle. *His name is.*
Comment vous portez-vous? *How are you?*	Je me porte bien. *I am well.*	Il se porte mal. *He is ill.*
Savez-vous? *Do you know?*	Je sais. *I know.*	Nous savons. *We know.*
Comprenez-vous? *Do you understand?*	Je comprends. *I understand.*	Nous comprenons. *We understand.*
Parlez! *Speak!*	Je parle. *I speak.*	Il, elle parle. *He, she speaks.*

Que veut dire ... ⎫
Que signifie ... ⎬ *What does ... mean?*
Qu'est-ce que c'est? *What is it?*
Qu'est-ce que c'est que ceci? *What is this?*

doit être *should be* au lieu de *instead of*

page huit

CLASSROOM COMMANDS AND DRILL

the two pages.]

Nous nous approchons.
We approach (are approaching).

Ils s'approchent.
They approach (are approaching).

Nous nous asseyons.
We sit down (are sitting down).

Ils s'asseyent.
They sit down (are sitting down).

Vous quittez.
You leave (are leaving).

Ils quittent.
They leave (are leaving).

Vous vous appelez.
Your name is.
(Your names are.)

Ils s'appellent.
Their names are.

Nous nous portons très bien.
We are very well.

Ils se portent bien.
They are well.

Ils savent.
They know.

On sait.
Everyone knows.

Ils comprennent.
They understand.

On comprend.
Everyone understands.

Nous parlons.
We speak.

Ils, elles parlent.
They, they speak.

    Qu'est-ce que c'est que cela (ça)? *What is that?*
    C'est... *It is...*
    Faites attention! *Pay attention!*

    On se sert de... *We use...*
    s'accorde avec *agrees with*

DRILL

[*Read across*

Go through the following actions, and express each in in the third person plural) accompanying each action by the

Levez-vous!	Je me lève.
Get up!	*I get up.*
Allez au tableau noir!	Je vais au ...
Go to the blackboard!	*I go to ...*
Prenez la brosse!	Je prends la ...
Take the board-rubber!	*I take the ... (am taking).*
Effacez les phrases au tableau noir!	J'efface les ...
Erase the sentences on the board!	*I erase the ... (am erasing).*
Mettez la brosse sur le rayon!	Je mets la ...
Put the eraser on the ledge!	*I put the ... (am putting).*
Prenez la craie!	Je prends la ...
Take the chalk!	*I take the ... (am taking).*
Ecrivez cette phrase au tableau!	J'écris cette ...
Write this sentence on the board!	*I write this ... (am writing).*
Mettez la craie sur le rayon!	Je mets la ...
Put the chalk on the ledge!	*I put the ... (am putting).*
Allez à votre place!	Je vais à ma ...
Go to your seat!	*I go to my ... (am going).*
Asseyez-vous!	Je m'assieds.
Sit down!	*I sit down (am sitting down).*

page dix

CLASSROOM CONVERSATION

the two pages.] **DRILL**

French (in the first person singular, in the first person plural, spoken word.

Nous nous levons.
We get up.

Ils se lèvent.
They get up.

Nous allons au ...
We go to ...

Ils vont au ...
They go to ...

Nous prenons la ...
We take the ... (are taking).

Ils prennent ...
They take (are taking).

Nous effaçons les ...
We erase the ... (are erasing).

Ils effacent ...
They erase ... (are erasing).

Nous mettons la ...
We put the ... (are putting).

Ils mettent ...
They put ... (are putting).

Nous prenons la ...
We take the ... (are taking)

Ils prennent ...
They take ... (are taking).

Nous écrivons cette ...
We write this ... (are writing).

Ils écrivent ...
They write ... (are writing).

Nous mettons la ...
We put the ... (are putting).

Ils mettent ...
They put ... (are putting).

Nous allons à nos ...
We go to our ... (are going).

Ils vont à leurs ...
They go to their ... (are going).

Nous nous asseyons.
We sit down (are sitting down).

Ils s'asseyent.
They sit down (are sitting down).

page onze

Le Défilé de la Victoire, 14 juillet, 1919, à Paris.

Le Maréchal Foch, commandant en chef des armées alliées, et le Maréchal Joffre, héros de la Bataille de la Marne, 1914. — p. 13.

LECTURE
[READING]

[In French final consonants are usually silent. As an aid to pronunciation, in the first twenty stories of this book those that are to be pronounced are printed in heavy type. Up to the same point, nasal *n* and *m* are in italic. The sign ‿ indicates linking (liaison), but it is not inserted where the final consonant is pronounced. The signs ~~en~~ or ~~ent~~ mark as silent the final syllable of the Third Person Plural of verb-forms.

The first four exercises are intended for rapid translation and contain, for the most part, words whose meaning is readily recognized.]

1. LA NATION (I) (Cognates)

Le préside*n*t est le che**f** de la natio*n*. Le gouverneu**r** est le che**f** de l'état. La république se *c*ompose d'états. Washington est la capitale des‿Etats‿Unis. Albany est la capitale de l'état de New-Yor**k**.

Le général est le che**f** de l'armée. Le Maréchal Foch est le comma*n*dant‿e*n* che**f** des‿armées‿alliées. Le général, le capitaine, le lieutena*n*t, le serge*n*t so*n*t des‿officiers de l'armée. L'i*n*specteu**r**, le capitaine, le lieutena*n*t, le serge*n*t so*n*t‿aussi des‿officiers de police.

L'armée se divise e*n* corps, divisio*n*s, régime*n*ts, batail- lo*n*s, compagnies. L'armée se *c*ompose d'officiers et de soldats. Les soldats courageux et i*n*trépides péris~~sent~~ da*n*s les batailles.

Questions for Review Practice

1. Qui est le président des‿Etats‿Unis? 2. Qui est le che**f** d'une république? d'u*n*‿état? de l'état de New-York? de votre état? 3. Qui est le che**f** de l'armée? de la police? 4. Nommez les‿officiers de l'armée! de la police! 5. Quel est le gouverneme*n*t des‿Etats‿Unis? 6. Quelle est la capitale

des͜ Etats-Unis ? de l'état de New-York ? de votre état ?
7. De quoi la république se compose-t-elle ? 8. De quoi l'armée se compose-t-elle ? 9. Où les soldats courageux périssent-ils ?
10. Où les͜ officiers de l'armée périssent-ils ? 11. Les prisonniers de la police périssent-ils en prison ?

2. LA NATION (II) (Cognates)

La Russie est͜ en͜ Europe. La capitale de la Russie est Saint Pétersbourg (Pétrograd). Les͜ habitants de la Russie parlent russe. Ils sont Russes.

Le chef d'une famille royale est͜ un roi. Le roi est
5 le chef d'un royaume. L'Italie est͜ un royaume. L'Espagne, la Grèce, la Belgique, la Hollande sont͜ aussi des royaumes. Les͜ Italiens habitent l'Italie. Ils parlent italien. Les͜ Espagnols habitent l'Espagne. Ils parlent espagnol. Les Hollandais habitent la Hollande.
10 Ils parlent hollandais. Les Français parlent français. Les Belges habitent la Belgique. Ils parlent aussi français.

La France est͜ une république. Paris est la capitale. L'Alsace et la Lorraine sont des provinces de la France.
15 Le chef de la république est le président. Le gouvernement de la Suisse et du Portugal est͜ aussi républicain. Les Suisses ne parlent pas suisse. Ils parlent français ou italien. Les͜ Arabes habitent l'Arabie. Les Turcs habitent la Turquie. Les͜ Egyptiens habitent l'Egypte.
20 Les Canadiens habitent le Canada, etc., etc.

Questions for Review Practice

1. Quel est le gouvernement de la France ? de l'Italie ? de l'Espagne ? de la Hollande ? de la Suisse ? des͜ Etats-Unis ? du Por-

tugal? 2. Qui est le chef d'un état? d'un royaume? d'une république? 3. Quelle est la capitale de la Russie? de l'Italie? de la France? 4. Nommez les capitales des républiques de l'Europe. 5. Où les Russes habitent-ils? les Belges? les Italiens? les Français? 6. Qui parle russe? qui parle hollandais? italien? français? 7. Quelle langue les Belges parlent-ils? Quelle langue les Russes parlent-ils? les Anglais? les Hollandais? les Portugais? les Suédois? les Hongrois? 8. Nommez les capitales de l'Europe! les royaumes! les républiques! 9. Qui habite l'Arabie? l'Egypte? le Canada? le Mexique? la Turquie? l'Irlande? le Japon? la Finlande? etc.

3. LA FAMILLE (Cognates)

La lettre est sur la table. Remarquez l'adresse,— numéro 10, avenue Madison. La couleur de la lettre est bleue. Une dame entre. Elle place la lettre sur le piano. Remarquez aussi sur le piano la musique et une photographie. C'est le portrait d'un marchand riche et éminent. Une servante entre et prépare le dîner. Elle place des fruits délicieux sur la table, des oranges, des bananes, des pêches. Elle place aussi des roses, des tulipes, des violettes sur la table.

La famille arrive d'un long voyage, le papa, la maman, l'oncle, la tante, le bébé, la grand'maman, les enfants. Les voyageurs sont fatigués. Les domestiques comptent les valises et les paquets. Le papa est un célèbre dentiste, la maman est une charmante artiste, l'oncle est un brillant musicien. La maman aide la servante. Elle place sur la table des tomates et des carottes. Ils commencent à dîner. Le papa regrette l'absence de ses camarades, le professeur et l'architecte. Les domestiques servent le café. Le simple repas est fini.

page quinze

Questions for Review Practice

1. Où est la lettre? Où est l'adresse? Où est la photographie? Où est la musique? *Continue in the same way with the other objects mentioned in the singular.*

2. Où sont les fruits? Où sont les pêches? Où sont les roses? *Continue in the same way with the other objects mentioned in the plural.*

3. Qui entre? Qui place la lettre sur le piano? Qui prépare le dîner? *Continue in the same way with all the other verbs.*

4. Qu'est-ce que la dame place sur le piano? Qu'est-ce que la servante prépare? Qu'est-ce que les domestiques comptent? Qu'est-ce que les domestiques servent? Qu'est-ce que le papa regrette? *Continue in the same way for all the other direct objects mentioned.*

5. Qui est riche? Qui est fatigué? Qui est célèbre? Qui est_éminent? *Continue in the same way for the other adjectives.*

4. VISITE À LA MÉNAGERIE (Cognates)

L'automobile traverse le parc. Le conducteur arrive sans_accident à la ménagerie. Dans les cages il y a un lion, un tigre, un léopard, un_éléphant, une girafe, des serpents, une véritable arche de Noé. Le lion est féroce. C'est_un_animal sauvage. Le tigre est_une bête cruelle. Le chat est_un_animal domestique. Le chat chasse le rat.

Dans_une cage un_Arabe charme un long serpent bleu. L'Arabe place un rat dans la cage. Le serpent saisit le faible rat.

La nature de l'éléphant n'est pas féroce. C'est_un_animal amusant. Il désire dîner. Un soldat, qui passe, place une partie de son chocolat dans la cage. L'éléphant tend sa longue trompe. Son_appétit est_énorme. Les_

VISITE À LA MÉNAGERIE

oranges, les pêches, les bananes, les fruits disparaissent dans sa gorge immense.

Le léopard a le caractère très désagréable. Ne touchez pas le léopard quand il est jaloux. N'approchez pas! Il crie. Il désire aussi dîner. Son gardien tremble.

Le cirque est intéressant, n'est-ce pas?

Questions for Review Practice

1. Qu'est-ce qui traverse le parc? 2. Qu'est-ce que l'automobile traverse? 3. Qui est-ce qui arrive à la ménagerie? 4. Où est-ce que le conducteur arrive? 5. Comment le conducteur arrive-t-il? 6. Qu'est-ce qu'il y a dans les cages? 7. Où est le lion? la girafe? le tigre? le serpent? etc. 8. Où sont les animaux? 9. Comment le lion est-il? Comment le tigre est-il? le chat? etc. 10. Nommez des animaux sauvages! Nommez des animaux domestiques!

11. Qui est-ce qui charme le serpent? 12. Qu'est-ce que l'Arabe charme? 13. Qui est-ce qui place un rat dans la cage du serpent? 14. Qu'est-ce que l'Arabe place dans la cage du serpent? 15. Qui est-ce qui place du chocolat dans la cage de l'éléphant? 16. Qu'est-ce que le soldat place dans la cage de l'éléphant? 17. Qu'est-ce qui disparaît dans la gorge de l'éléphant? 18. Qu'est-ce qui est intéressant? 19. Le cirque est-il intéressant? 20. Les animaux sont-ils intéressants?

Notice:

qui est-ce qui = who (*subject*). qu'est-ce qui = what (*subject*).
qui est-ce que = whom (*object*). qu'est-ce que = what (*object*).

Signs on Doors.

Tirez! *Pull!*   Entrée. *Entrance.*
Poussez! *Push!*   Sortie. *Exit.*

page dix-sept

5. L'HEURE D'ÉTUDE (I)

J'arrive en retard à l'école. Mon ami Louis arrive aussi en retard. Robert est déjà à sa place. Georges est aussi à la sienne. Je vais vite au bureau du professeur. Je présente mon excuse à mon professeur.
5 Louis n'a pas d'excuse. Il va au vestiaire où il met son pardessus et sa casquette. Je mets ma casquette dans la poche de mon pardessus et je garde le pardessus sur mon banc. Je prends mes livres dans mon petit casier et je commence mon devoir. Je demande à mon
10 voisin, Henri, "Quelle est la leçon de français?" Il me répond, "C'est aujourd'hui que nous avons le vingtième exercice à la page trente. Nous écrivons en français les dix premières phrases."

Je range mes papiers sur mon pupitre et j'écris mon
15 thème dans mon cahier. De temps en temps j'ouvre mon livre de grammaire. Je cherche un mot. Je trouve le mot et je ferme ma grammaire.

Practice on Verbs and Review Exercises

1. List the **different verbs** according to **person**, and note that you always have the same characteristic ending for that person. For example:

1st sing. reg.	*1st sing. irreg.*	*1st plur.*	*3d plur.*
j'arriv*e*	je met*s*	nous arriv*ons*	ils prenn*ent*
je présent*e*	je prend*s*	nous all*ons*	ils ferm*ent*
je demand*e*	j'écri*s*	nous av*ons*	ils effac*ent*

2. Now group together all the **different persons** of the **same verb** and construct the following paradigms. Note the characteristic endings. For example:

page dix-huit

L'HEURE D'ÉTUDE

j'arriv*e*	je met*s*	je vai*s*	je pre*n*d*s*
tu arriv*es*	tu met*s*	tu va*s*	tu pre*n*d*s*
il arriv*e*	il met	il va	il pre*n*d
nous‿arriv*ons*	nous mett*ons*	nous‿all*ons*	nous pre*n*ons
vous‿arriv*ez*	vous mett*ez*	vous‿all*ez*	vous pre*n*ez
ils‿arriv*ent*	ils mett*ent*	ils vo*nt*	ils pre*nn*ent

3. Practice, in writing: Je suis‿à ma place, Tu es‿à ta place, Il est‿à sa place, etc. Je n'ai pas d'excuse, Tu n'as pas d'excuse, Il n'a pas d'excuse, etc. Write other similar phrases from the text.

4. Replace the dashes by the proper form of the possessive adjective: Je suis‿à —— place. Je présente —— excuse. Il met —— pardessus au vestiaire. Je commence —— leço*n* de français. Je range —— papiers su*r* —— pupitre. Il écrit —— devoi*r* da*n*s —— cahier, etc.

5. Perform each action of the text, speaking the words as you do the action.

6. Typical questions to be answered in French:—

a. Arrivez-vous souve*nt*‿en retard à l'école? *b.* Etes-vous‿à votre place? *c.* Votre ami, Georges, est-il à sa place? *d.* Allez-vous‿au vestiaire? *e.* Où mettez-vous votre casquette? *f.* Que prenez-vous da*n*s votre casier? *g.* Etes-vous debout? *h.* Qui est‿assis à so*n* bureau? *i.* Où Georges est-il assis? *j.* Quelle est la leço*n* d'aujourd'hui? *k.* A qui dema*n*dez-vous la leço*n*? *l.* Ecrivez-vous les phrases e*n* français? *m.* Où allez-vous de te*m*ps‿en temps? *n.* Que cherchez-vous da*n*s votre casier?

7. Group the **Possessive Adjectives** used in this and the next exercise (6) according to their meaning and the noun they modify, and note that they are always used as follows:

Before a noun used in the	*masc. sing.*	*fem. sing.*	*plur. m. and f.*
my	mo*n*	ma	mes
thy	to*n*	ta	tes
his, her, its	so*n*	sa	ses
our	notre	notre	nos
your	votre	votre	vos
their	leur	leur	leurs

page dix-neuf

6. L'HEURE D'ÉTUDE (II)

Louis étudie sa leçon de mathématiques. Robert est debout au tableau noir. Il écrit des phrases françaises. Le maître lit les phrases anglaises. Il est‿assis à son bureau. Les‿autres‿élèves sont‿assis à leurs pupitres,
5 excepté Charles, qui ouvre les fenêtres, et Jean, qui ferme la porte.

Soudain la sonnette annonce la fin de l'heure d'étude. Nous ramassons nos papiers, nous fermons nos livres, nous mettons nos plumes à réservoir et nos crayons dans
10 nos poches, nous prenons nos‿affaires, nous nous levons, nous‿allons‿à la porte.

Robert et Charles prennent les brosses sur le rayon et ils‿effacent les phrases au tableau. Ils remettent la craie dans la boîte à craie dans le tiroir du bureau du
15 professeur. Ils vont‿à la porte. Ils‿ouvrent la porte. Le maître se lève. Les‿élèves se lèvent. Ils quittent la salle de classe.

Suggestions for Review Practice

1. Write out through all the persons of the Present Tense: J'étudie ma leçon, Tu étudies ta leçon, Il étudie sa leçon, etc. Similarly write out through all the persons: Je ferme mon livre, etc., Je prends la brosse, etc., and other similar sentences of the text.

2. Replace the dashes by the proper form of the Possessive Adjective: *a.* Louis étudie —— leçon. *b.* Nous‿écrivons —— phrases dans —— cahiers. *c.* Vous lisez —— vocabulaire dans —— livre de grammaire. *d.* Vous ramassez —— plumes. *e.* Ils ferment —— livres de lecture. *f.* Ils vont‿à —— places.

page vingt

UNE ÉCOLE EN FRANCE.

Lycée Janson-Sailly, rue de la Pompe, Paris, une des plus grandes écoles de Paris.

3. Typical questions to be answered in French:—
a. Quelle leçon étudiez-vous?
b. Quelles phrases écrivez-vous?
c. A quels pupitres les élèves sont-ils assis?
d. Quels papiers ramassez-vous?
e. Qu'est-ce que vous étudiez? Qu'est-ce que vous fermez?
f. Qu'est-ce que vous prenez?
g. Qui est-ce qui prend les brosses?
h. Qui est-ce qui efface les phrases?
i. Qui est-ce qui remet la craie dans la boîte?
j. Qui est-ce qui se lève?
k. Qui est-ce qui quitte la salle de classe?

7. MIEUX VAUT TARD QUE JAMAIS[1] (I)

Louis quitte la maison en hâte. Il est déjà huit heures. Louis est en retard. Le maître gronde toujours l'élève qui arrive en retard à l'école. Louis ne prend pas le chemin de fer souterrain (le métro). Il ne demeure pas loin de l'école. Il va à pied. Il marche vite. Il traverse le parc. Il rencontre son camarade Robert, qui marche vite, aussi. "Eh, bonjour, mon ami, nous sommes en retard ce matin." Les deux garçons se mettent à courir. Ils rencontrent d'autres élèves qui sont en retard et qui courent. L'école commence à huit heures et demie. Les élèves qui arrivent en retard sont obligés de passer une heure dans la salle de retenue.

Exercises for Review Practice

I. Typical questions to be answered in French:—

1. Quelle heure est-il? 2. Pourquoi Louis quitte-t-il la maison en hâte? 3. Pourquoi quittez-vous la maison en hâte? 4. Comment Louis marche-t-il? 5. Quand marchez-vous vite?

[1] mieux vaut tard que jamais, *better late than never.*

page vingt et un

6. Arrivez-vous quelquefois_en retard à l'école? 7. Le maître gronde-t-il quand vous_arrivez_en retard à l'école? 8. Prenez-vous le chemin de fer souterrain pour venir à l'école? 9. Ne prenez-vous pas le tramway? 10. Venez-vous_en_ automobile ou à bicyclette? 11. Demeurez-vous loin de l'école? 12. Votre ami demeure-t-il près de l'école? 13. Votre camarade a-t-il été en retard ce matin? 14. Où êtes-vous_ obligé de passer une heure si vous_arrivez_en retard à l'école? 15. A quelle heure la classe commence-t-elle? 16. A quelle heure finit-elle? 17. A quelle heure quittez-vous la maison le matin? 18. A quelle heure quittez-vous la salle de retenue? 19. Etes-vous toujours à l'heure?

II. Write out in French: —

I do not arrive late at school because I leave the house at eight o'clock. I do not live very far. I take the Subway or the street car. The Subway goes very fast. I meet my friends in the Subway, pupils who live far from the school. The pupil who walks fast does not arrive late at school. He is not obliged to pass an hour in the Tardy-room.

8. MIEUX VAUT TARD QUE JAMAIS (II)

Arrivés devant l'école nos deux_amis remarquent des_ élèves groupés devant les portes. Ils comprennent_alors que les portes sont fermées, qu'ils sont_en retard. "Moi, je n'entre pas," dit Louis. "Je ne veux pas passer une
5 heure dans la salle de retenue. J'ai une leçon de musique cette après-midi. Je rentre à la maison!"

"Voulez-vous manquer vos classes?" demande Robert. "C'est_aujourd'hui que nous nous préparons pour les_ examens. Moi, j'entre. J'accepte la punition. Je ne
10 veux pas manquer la classe. Adieu, si vous n'entrez pas."

page vingt-deux

MIEUX VAUT TARD QUE JAMAIS

Louis rentre à la maison. Il perd toute la journée d'école. Robert apprend beaucoup de règles utiles. La semaine suivante arrive le jour d'examen. Robert remporte une bonne note. Louis a une mauvaise note. Robert dit alors à Louis, "Vous voyez, mon ami, je n'aime pas la salle de retenue, mais j'aime bien une bonne note." Et Louis répond, "Oui, je comprends maintenant le vieux proverbe français, 'Mieux vaut tard que jamais.'"

Exercises for Review Practice

I. Typical questions to be answered in French:—
1. Que remarquez-vous devant les portes de l'école? 2. Pourquoi le groupe d'élèves est-il devant les portes? 3. Pourquoi Louis n'entre-t-il pas dans l'école? 4. Avez-vous une leçon de musique cette après-midi? 5. Que faites-vous cette après-midi? 6. Pourquoi Louis rentre-t-il à la maison? 7. Si vous arrivez en retard à l'école, rentrez-vous à la maison? 8. Pourquoi est-il important d'être en classe aujourd'hui? 9. Est-ce aujourd'hui que vous vous préparez pour les examens? 10. Quel proverbe français apprenez-vous aujourd'hui? 11. Que perdez-vous à l'école quand vous passez la journée chez vous? 12. Quand arrivent les examens? 13. Quelle note remportez-vous dans la classe de français? 14. Manquez-vous souvent la classe?

II. Write out in French:—
I arrive late at school. A group of pupils is before the school. I understand that the doors are closed. I do not wish to pass an hour in the detention-room. I do not enter. I cut my classes. I go home. One boy, my comrade, accepts the punishment and enters. The class prepares for the examinations and I miss the rules. My friend receives a good mark and I receive a bad mark. Then I understand the old French proverb, "Better late than never."

page vingt-trois

9. SCÈNE DE CLASSE

(*Accompany each sentence by the actual action. Say the sentence while doing the act.*)

Charles, levez-vous! Que faites-vous?
Je me lève.
Prenez votre livre! Que prenez-vous?
Je prends mon livre.
5   Ouvrez votre livre à la première page! A quelle page ouvrez-vous votre livre?
J'ouvre mon livre à la première page.
Répétez les mots du vocabulaire après moi! Lentement!
10 Je les répète lentement après vous.
Prononcez plus haut le deuxième mot!

page vingt-quatre

SCÈNE DE CLASSE

Je le prononce plus haut.
Maintenant, lisez les phrases anglaises!
Je lis les phrases anglaises.
Traduisez les phrases en français, s'il vous plaît! 15
Je les traduis en français.
Pourquoi parlez-vous à voix basse?
Pardon, Monsieur, je ne parle pas à voix basse; je parle à haute voix.
Cela suffit! Fermez le livre, Charles! Asseyez-vous! 20
Vite!
Merci, Monsieur. Je ferme mon livre. Je m'assieds.
Pourquoi levez-vous la main, Germaine? Voulez-vous réciter?
Je lève la main parce que je veux réciter. 25
Alors, allez au tableau noir!
Je vais au tableau noir.
Prenez un morceau de craie et une brosse!
Je prends un morceau de craie et une brosse.
Effacez ces mots! Vite! 30
J'efface ces mots.
Ecrivez ces phrases en français!
Je les écris en français et en anglais.
Maintenant, corrigez le devoir au tableau noir.
Y a-t-il quelque chose à corriger? 35
Comment épelle-t-on le premier mot?
Quel accent met-on sur la lettre "e" du verbe "être"?
Est-il permis de dire le table?
Non, Monsieur, il faut l'article féminin au lieu du 40 masculin.
C'est bien, Jeannette, c'est assez.

page vingt-cinq

Review Practice

Dramatize, one pupil as the teacher, one as the student. Let one pupil give the commands, and ask the questions. Let the other do the actions and answer the questions.

10. JOURNÉE D'ÉCOLE

"C'est aujourd'hui que commencent nos examens, n'est-ce pas, Georges?" "Non," répond Georges, "les examens commencent demain. Nous avons aujourd'hui nos classes régulières." "Quelle est votre première classe?" "Ma première est une classe de français. La deuxième est une classe de latin; ensuite, j'ai une heure de musique; puis une heure de gymnastique; la cinquième classe est une classe d'histoire et la sixième, une classe de biologie." "Mon programme est plus difficile," raconte Robert. "Je commence la journée par une classe de chimie; la deuxième période, j'ai une classe de dessin; la troisième, une heure d'allemand; la quatrième, une heure de physique; la cinquième, une leçon d'espagnol, et la dernière heure je suis libre, j'ai une heure d'étude." "Après la sortie, je vais passer une heure au laboratoire de chimie." "Et moi, je vais passer une heure à la salle de retenue." "A quelle heure prenez-vous votre déjeuner?" "Je prends mon déjeuner à midi, — et vous?" "Moi aussi. Je vais vous retrouver alors au réfectoire. A tantôt, et bonne chance."

Review Practice

Racontez votre journée d'école, — vos classes successives.

page vingt-six

11. LE SANSONNET[1]

Le vieux soldat Maurice a dans sa chambre un sansonnet qui a appris à prononcer quelques mots. Par exemple, quand Maurice dit : " Où est mon petit sansonnet ? " l'oiseau répond‿aussitôt, " Je suis‿ici."

Le jeune Charles, fils d'un voisin, aime beaucoup le sansonnet. Un jour, Charles entre dans la chambre, quand Maurice est‿absent. Il met l'oiseau dans sa poche, et quitte la chambre.

Mais au même instant rentre le soldat. Pour faire plaisir[2] à son jeune voisin, il demande, " Où est mon petit‿oiseau ? "

Aussitôt l'oiseau, caché dans la poche du petit garçon, crie de toutes ses forces, " Je suis‿ici, ici, ici."

Questionnaire 1

1. Qui est Maurice ? 2. Qu'a-t-il dans sa chambre ? 3. Que dit Maurice au sansonnet ? 4. Que répond le sansonnet ? 5. Qui est Charles ? 6. Aime-t-il

---

[1] See page xlix. [2] Pour faire plaisir, — *to please.*

T. S. V. P. Tournez, s'il vous plaît !
Turn, if you please.

beaucoup le sansonnet ?   7. Où entre-t-il ?   8. Maurice est-il présent ?   9. Que met-il dans sa poche ?
10. Qui rentre au même instant ?   11. Qu'est-ce que Maurice demande ?   12. Que crie l'oiseau ?

Traduction

1. Maurice has a little starling.   2. The starling is in his room.   3. Maurice is an old soldier.   4. He likes the starling.   5. Maurice enters the room.
6. He asks his starling where he is.   7. And the bird answers, "Here I am."   8. The bird has learned these words.   9. Maurice has a young neighbor.   10. He likes the bird also.   11. One day Maurice is not in his room.   12. Little Charles enters.   13. He puts the starling into his pocket.   14. But who comes in at the same time ?   15. It is Maurice.   16. He asks at once, "Where is my starling ?"   17. The starling is hidden in Charles' pocket.   18. He cries out the words which he has learned.

Questionnaire 2

1. Maurice est-il vieux ?   2. Etes-vous jeune ?
3. Etes-vous vieux ?   4. Votre professeur est-il jeune ?
5. Votre voisin est-il jeune ou vieux ?   6. Où êtes-vous ?   7. Qu'avez-vous dans votre poche ?   8. Avez-vous caché votre livre dans votre poche ?   9. Etes-vous absent ?   10. Votre maître est-il absent ou présent ?   11. Quels mots avez-vous appris aujourd'hui ?   12. Quittez-vous la salle après la leçon ?

page vingt-huit

12. QUEL ÂGE AVEZ-VOUS

Une petite fille était assise seule dans le coin d'un wagon de chemin de fer. Le conducteur passe pour prendre les billets ; la petite fille n'a pas de billet.

— Quel âge avez-vous donc ? lui dit le conducteur.
— J'ai cinq ans, monsieur.
— Pas plus de cinq ans ?
— Non, monsieur, en chemin de fer j'ai cinq ans ; à la maison j'en ai sept.
— Ah ! . . . Et vous voyagez ainsi seule ?
— Non, monsieur, je voyage avec cette dame là-bas, au milieu du wagon ; c'est ma tante.
— Et quel âge a votre tante ?
— Elle a vingt-neuf ans.
— A-t-elle seulement vingt-neuf ans ?
— Je le pense.
— Quel âge avait-elle l'année dernière ?
— Elle avait vingt-neuf ans.
— Et l'année avant ?
— Le même âge ; elle a toujours vingt-neuf ans.

Questionnaire 1

NOTE: The questionnaires may occasionally be used for dictation. The teacher reads the questions aloud in French, the pupils write the questions in French and their original answers to them.

1. Où la petite fille était-elle assise ? 2. Etait-elle jeune ? 3. Etait-elle seule ? 4. Qui passe ? 5. Pourquoi passe-t-il ? 6. La petite fille a-t-elle un billet ? 7. Que lui demande le conducteur ? 8. Quel âge a la petite fille ? 9. Quel âge a la petite fille à la maison ? 10. Avec qui voyage-t-elle ? 11. Où est sa tante ?

12. Quel âge a-t-elle ?   13. Quel âge avait-elle l'année dernière ?   14. L'année avant ?   15. Quel âge a-t-elle toujours ?   16. Avez-vous toujours le même âge ?   17. Quel âge avez-vous ?   18. Quel âge aviez-vous l'année dernière ?   19. L'année avant ?

Review Practice

Act out this scene, one pupil taking the part of the conductor, another the part of the little traveler.

Traduction

1. There was a little girl.   2. She was alone.   3. She was seated in a corner.   4. She was in a railway coach.   5. She has no ticket.   6. The conductor passes.   7. She does not give him a ticket.   8. He asks her age.   9. She is five years old in the train.   10. But she is seven years old at home.   11. Her aunt was also in the coach.   12. She was seated in the middle of the train.   13. Her aunt is twenty-nine years old.   14. Last year she was also twenty-nine.   15. And the year before she was the same age.   16. She is always twenty-nine years old.

page trente

Questionnaire 2

1. Où êtes-vous assis? 2. Votre professeur où est-il assis? 3. Etes-vous assis dans le coin de votre salle de classe? 4. Voyagez-vous en tramway? 5. Présentez-vous un billet au conducteur? 6. Votre conducteur était-il grand ou petit? 7. Quel âge avait-il? 8. Avez-vous une tante? 9. Est-elle à la maison? 10. Aimez-vous votre tante? 11. Etes-vous seul dans la classe? 12. Qui est avec vous? 13. Avez-vous le même âge que votre professeur? 14. Prenez-vous un billet de demi-place dans les tramways?

R. S. V. P.   Répondez, s'il vous plaît!
Answer, if you please.

13. COMPLET

Les omnibus et les tramways à Paris n'admettent qu'un[1] nombre fixe de voyageurs. Quand la limite est atteinte, le conducteur accroche un écriteau portant le mot COMPLET. Il est alors inutile de courir après la voiture; on n'est pas admis.

Un voyageur américain qui ignore cette

[1] ne ... que, *only;* ne ... pas, *not.*

particularité dit un jour à un de ses amis, au commencement de son séjour à Paris,

"Que signifie donc ce mot COMPLET que je vois souvent sur les omnibus?"

"Comment?" dit l'autre qui voit l'occasion de s'amuser aux dépens de son compatriote, "comment! vous ne l'avez pas encore visité?"

"Visité quoi?"

"Mais, COMPLET! C'est un endroit charmant; il faut voir ça, mon cher."

Le voyageur novice veut le voir, et il court après chaque omnibus qui porte ce mot; mais toujours le conducteur refuse de l'admettre. Partant quelques jours après, il a le chagrin de quitter Paris sans avoir vu COMPLET.

Questionnaire

1. Y a-t-il des tramways à Paris? 2. Y a-t-il des omnibus à *(nom de ville)*? 3. Combien de voyageurs admettent-ils? 4. Est-ce que le nombre des voyageurs est limité à *(nom de ville)*? 5. Quand la limite est atteinte à Paris, que fait-on? 6. Quel mot est écrit sur l'écriteau? 7. Que signifie le mot COMPLET?

8. Est-ce que l'on est admis ensuite? 9. Un Américain que demande-t-il à un de ses amis? 10. Quelle explication lui donne-t-il? 11. Que pense notre Américain? 12. A-t-il jamais visité cet endroit? 13. Que fait notre voyageur? 14. Après quoi court-il? 15. Est-ce qu'il est admis dans l'omnibus? 16. A-t-il jamais vu "COMPLET"? 17. L'avez-vous jamais vu?

Omnibus de Paris, Arrêtés à la Station.
"Il est inutile de courir après les omnibus." — p. 31, l. 10.

Traduction

1. There are street cars in Paris. 2. They carry a fixed number of passengers. 3. There is a limit. 4. The conductor displays a sign. 5. The sign bears the word "COMPLET." 6. The conductor refuses to admit you after that. 7. An American sees the sign. 8. He doesn't understand the word. 9. He asks a friend. 10. His friend tells him that it is a nice place. 11. Our traveler wants to visit it. 12. But he is not admitted. 13. He does not see "COMPLET." 14. "COMPLET" is not a place

Review Practice

Modèle. **C'est** un endroit charmant, l. 22.

In the same way, translate — It is an omnibus. It is one of my friends. It is the conductor. It is a peculiarity of Paris. It is useless. Etc., etc.

Modèle. **Ce n'est qu'**un nombre fixe, l. 4.

In the same way, translate — It is only an American traveler. It is only a sign. It is only when the limit is reached. Etc.

Essuyez vos pieds, s'il vous plaît !
Wipe your shoes, please.

14. LE CLOU

Le fermier Thomas selle son cheval pour aller à la ville, lorsqu'il remarque qu'un clou manque à l'un des fers. "Ce n'est rien,[1] pense-t-il ; qu'importe[2] un clou de plus ou de moins ? " Et montant sur la bête, il part.

[1] Ce n'est rien. Notice that **ne** before the verb and **rien** after it equals *nothing*.   [2] qu'importe, *what matters !*

Au bout d'un quart d'heure, le fer se détache. "Je n'ai pas le temps de m'arrêter," se dit Thomas, "et mon cheval ira[1] aussi bien avec trois fers qu'avec quatre. D'ailleurs, nous ne sommes pas loin de la ville."

Cependant, le chemin est très dur, et le pauvre cheval marche à grand'peine.[2] Soudain, deux brigands, cachés derrière une haie, s'élancent sur la route et barrent le passage à Thomas. "La bourse ou la vie," lui demandent-ils. Il essaye de s'enfuir, mais la bête, qui est toute fatiguée, reste en place.[3]

Les voleurs dépouillent le fermier, lui volent son argent et sa montre. Thomas retourne tristement chez lui. "J'ai tout perdu," dit-il à sa femme, "parce que je n'ai pas fait attention à un clou qui manquait."

Morale: Faites attention aux petites choses aussi bien qu'aux grandes choses.

[1] ira, future of aller, *will go*.
[2] à grand'peine, *with great difficulty*.
[3] reste en place, *remains stock-still*.

Questionnaire 1

1. De qui est-ce qu'on parle? 2. Que selle-t-il? 3. Où va-t-il? 4. Qu'a-t-il remarqué? 5. Qu'est-ce qu'il pense? 6. Où monte-t-il? 7. Montez-vous à cheval? 8. Qu'est-ce qui se détache? 9. Quand le fer se détache-t-il? 10. Thomas avait-il le temps de s'arrêter? 11. Etait-il loin de la ville? 12. Comment marche le cheval? 13. Qui était caché derrière une haie? 14. Où s'élancent-ils?

15. Que demandent-ils à Thomas? 16. Que fait Thomas? 17. Où reste le cheval? 18. Que perd le fermier? 19. Où retourne-t-il? 20. Que dit-il à sa femme? 21. Quelle est la morale de cette histoire? 22. Faites-vous attention aux petites choses? 23. Faites-vous attention en classe?

Traduction

1. Farmer Thomas goes to the city. 2. He mounts his horse. 3. A nail is missing on one of the horseshoes. 4. What does it matter, that's nothing. 5. My horse will go just as well. 6. But his horse does not go well. 7. After a half-hour, the horseshoe falls off. 8. The poor animal walks with great difficulty. 9. Two brigands are hidden behind a bush. 10. They throw themselves upon Thomas. 11. He tries to flee. 12. The horse remains stock-still. 13. Thomas returns home. 14. He has lost his money and his saddle. 15. And why? 16. Because he did not pay attention to one little nail.

Questionnaire 2

1. Etes-vous fermier? 2. Le fermier a-t-il une automobile? 3. Avez-vous un cheval? 4. Aimez-vous les chevaux? 5. New-York est-ce une ville ou un village? 6. Faites-vous bien attention à votre leçon? 7. Avez-vous plus de crayons que votre voisin? 8. Etes-vous loin de votre professeur? 9. Où irez-vous après la leçon? 10. Que signifie en anglais l'expression "Qu'importe"? 11. Les chemins de la ville sont-ils durs? 12. Marchez-vous à grand'peine? 13. Qui est assis derrière vous? 14. Avez-vous votre argent dans votre poche? 15. Etes-vous fatigué? 16. Avez-vous perdu votre exercice?

Written Review of the Vocabulary

I am seated far from my professor. I am concealed behind my neighbor. There is a small nail lacking in my desk. It is nothing. Do not pay attention to the nail. Pay attention to your lesson. My friend steals my books. He tries to run away, but I run after him. He returns home sadly. I return home also, very tired. I have lost my watch. Where is my money? Oh, it is all right. I have it in my pocket.

Ici on parle français!

French is spoken here.

15. LE JEUNE SCARRON (I)

Paul Scarron[1] montrait, tout jeune encore, le caractère agréable que la nature lui avait donné. Son père, con-

---

[1] Paul Scarron : a French humorist of the 17th century.

page trente-six

seiller au parlement, était, au contraire, sérieux et grave, et il élevait son fils avec sévérité.

Un jour que le conseiller donne un grand dîner, le petit Paul, alors âgé de cinq ans, se met à table, où il y a des étrangers, sans la permission de son père. "Que faites-vous là, monsieur?" lui dit son père d'un ton sec. "Sortez vite! Vous avez la barbe trop courte encore pour manger avec nous; vous n'aurez pas de dessert aujourd'hui."

Notre pauvre Paul quitte la table, tout honteux et confus. Sa mère le place à une petite table dans un coin de la salle, où il mange seul, et dans un profond silence. (*à suivre*)

Questionnaire

1. Votre professeur a-t-il le caractère sérieux? 2. Quel caractère avait le jeune Scarron? 3. Quel caractère avez-vous? 4. Qui était son père? 5. Etait-il gai? 6. Comment élevait-il son fils? 7. Quel âge avait Paul? 8. Etes-vous encore tout jeune? 9. Etes-vous plus âgé que lui? 10. Quel âge avez-vous? 11. Qu'est ce qu'on donnait un jour? 12. Est-ce qu'on était seul? 13. Paul avait-il la permission de son père de se mettre à table? 14. Qu'est-ce que son père lui dit? 15. Avez-vous de la barbe? 16. Où sa mère le place-t-elle? 17. Est-ce qu'il mange seul? 18. Est-ce que vous mangez seul? 19. Est-ce que le petit Paul parle? 20. Que dit-il?

Traduction

1. Paul Scarron was a young boy. 2. He had a very cheerful disposition. 3. His father, on the contrary,

page trente-sept

was stern. 4. One day there were strangers for dinner. 5. Paul takes his seat at table. 6. He does not have his father's permission. 7. He will have no dessert that day. 8. He leaves the big table for the little table. 9. He is all alone in a corner of the room. 10. He is very much confused. 11. He is in deep silence. 12. He has no beard yet.

Written Review

Dictée. —

Je suis encore tout jeune. Je suis âgé de quinze ans. J'ai le caractère sérieux et grave. Le jour que ma mère donne un grand dîner je me mets à table avec sa permission. Ma mère a le caractère agréable. Elle ne parle pas à ses fils d'un ton sec. Mon frère est âgé de vingt-cinq ans. Il a déjà de la barbe, mais toute courte encore. Il se met à table quand il y a des étrangers.

Complete the following paradigms : —

Je suis tout honteux	J'ai la barbe courte
Tu es tout honteux, etc.	Tu as la barbe courte, etc.
Je quitte la table, etc.	Je n'aurai pas de dessert, etc.
Je donnais un grand dîner, etc.	J'élevais mon fils, etc.

A Paris, à Paris, sur mon petit cheval gris !
A Verdun, à Verdun, sur ton petit cheval brun !
A Montrouge, à Montrouge, sur son petit cheval rouge !
A Rouen, a Rouen, sur notre petit cheval blanc !
A Cambrai, à Cambrai, sur votre petit cheval bai !
Au manoir, au manoir, sur leur petit cheval noir !
Au pas, au pas, au trot, au trot, au galop, au galop, au galop !

16. LE JEUNE SCARRON (II)

(suite)

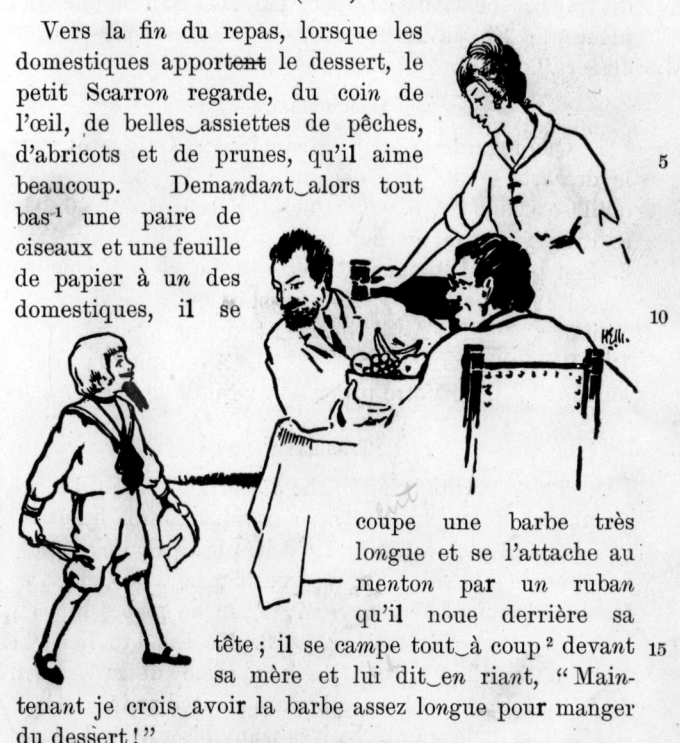

Vers la fin du repas, lorsque les domestiques apportent le dessert, le petit Scarron regarde, du coin de l'œil, de belles assiettes de pêches, d'abricots et de prunes, qu'il aime beaucoup. Demandant alors tout bas[1] une paire de ciseaux et une feuille de papier à un des domestiques, il se coupe une barbe très longue et se l'attache au menton par un ruban qu'il noue derrière sa tête; il se campe tout à coup[2] devant sa mère et lui dit en riant, "Maintenant je crois avoir la barbe assez longue pour manger du dessert!"

Cette saillie enfantine divertit beaucoup la société, et le papa, tout grave et tout sérieux qu'il était, en est lui-

---

[1] tout bas, *in a low tone.*
[2] tout à coup, *suddenly.*

même amusé. Le petit bonhomme, voyant alors beaucoup de biscuits et de prunes pleuvoir dans son assiette, dit joyeusement, "Ah! que[1] j'ai bien fait de ne pas pleurer! Si j'avais pleuré, je n'aurais pas eu de dessert."

Questionnaire

1. Que regarde le petit Scarron? 2. Qu'y a-t-il pour le dessert? 3. Que demande Paul? 4. Qu'est-ce qu'il se coupe? 5. Où attache-t-il la barbe? 6. Où se campe-t-il tout à coup? 7. Que dit-il à sa mère? 8. Son père est-il amusé de cette saillie? 9. Quel en est sa récompense? 10. Qu'est-ce qu'il y a dans son assiette? 11. A-t-il bien fait de ne pas pleurer? 12. Pleurez-vous souvent? 13. Avez-vous la barbe longue? 14. Votre professeur a-t-il de la barbe?

Traduction

1. The servants bring in the dessert. 2. Paul looks at the dessert. 3. There are plates of beautiful peaches and plums. 4. He asks for a pair of scissors. 5. He cuts a beard out of a piece of paper. 6. He ties the beard around his chin. 7. Then he places himself quickly before his mother. 8. He says to her, "I have a beard." 9. Give me some dessert, now. 10. His father and his mother are amused at it.

11. The little scamp receives many biscuits and plums on his plate. 12. He does not cry. 13. Now he has a beard. 14. He is seated at the table. 15. I do not like plums. 16. Do you like apricots?

---

[1] que, *how.*

page quarante

17. Give me a biscuit, if you please. 18. Speak louder; you speak too low. 19. I do not eat any dessert. 20. Ask the servant for a pair of scissors.

Pratique de Grammaire

Note the Partitive Construction in —

une assiette de pêches, une feuille de papier,
une paire de ciseaux, beaucoup de biscuits,
beaucoup de prunes, — after nouns and adverbs of quantity.

Similarly give the French for —

a box of chalk, a number of travelers, a plateful of plums,
a pair of starlings, many strangers.

Note the plural, — ciseau**x**. In the same manner, form the plural of : — le cheval, l'écriteau, l'oiseau, le tableau, le morceau.

Un, deux, trois, j'irai dans les bois!
Quatre, cinq, six, cueillir des cerises!
Sept, huit, neuf, dans mon panier neuf!
Dix, onze, douze, elles seront toutes rouges.

17. FAIM OU FEMME

"Garçon," dit un Américain en s'asseyant à une table dans un restaurant à Paris, "servez-moi vite; je suis pressé et j'ai une grande femme." C'est ainsi qu'il prononçait le mot FAI*M*.

"Vraiment!" dit le garçon surpris; et, pour ne pas être en reste[1] de politesse avec un étranger si communicatif, il ajoute, "Et monsieur a aussi de grands enfants sans doute?"

[1] **Etre en reste de,** *to be backward in.*

page quarante et un

FAIM OU FEMME

"Oh! oh!" se dit l'Américain à lui-même, le garçon n'a pas compris ; sans doute, on le dit en français comme en anglais. Je vais l'essayer. "Non, non, garçon. Je veux dire que je suis fameux." "Ah," répond le garçon, en saluant, "je suis bien heureux de l'apprendre." "Ah, ce n'est pas cela! Je vais essayer encore une façon de le dire. J'aurais dû dire[1] JE SUIS au lieu de J'AI." "Non," reprend-il tout haut, "non, garçon, je veux dire que je suis une grande femme."

"Impossible, monsieur, impossible, avec cette longue barbe-là."

Questionnaire

1. Qui était assis à une table ? 2. Où était-il ? 3. Que dit-il au garçon ? 4. Etait-il pressé ? 5. Qu'a-t-il ? 6. Comment a-t-il prononcé le mot FAIM ? 7. Le garçon est-il surpris ? 8. Que demande-t-il à l'étranger ? 9. Le garçon a-t-il compris ? 10. Comment l'Américain répète-t-il sa phrase ? 11. Pourquoi était-ce impossible ? 12. Comment dites-vous cette phrase ? 13. Avez-vous une barbe ? 14. Avez-vous une femme ?

Traduction

1. An American was in Paris. 2. He was (a) stranger. 3. He was in a restaurant. 4. He was in a hurry. 5. He was very hungry. 6. But he pronounced "hungry," "femme." 7. The waiter was surprised. 8. He thinks he has a wife. 9. And he adds, "and have you also grown-up children?" 10. The American

---

[1] J'aurais dû dire, *I should have said.* Dû is past participle of devoir.

page quarante-deux

understood. 11. He should have said "je suis" instead of "j'ai." 12. He says to the waiter, "Je suis une grande femme." 13. But he has a long beard. 14. The waiter says, "It is impossible." 15. You are not a woman. 16. You have a beard. 17. He gives the words in French as in English. 18. But it is not good French and the waiter does not understand. 19. He only understands good French.

Revue

Act out the scene in class, one pupil playing the part of the waiter, another the part of the American traveler.

> Diggoré, diggoré, doge,
> Le rat monte à l'horloge.
> Une heure frappe,
> Le rat s'échappe,
> Diggoré, diggore, doge !

18. LA POMME EMPOISONNÉE

Le grand La Fontaine[1] était très frugal. Son déjeuner ne se composait souvent que d'une pomme cuite. Un matin, comme la pomme qui devait composer son déjeuner était très chaude, il la posa sur la cheminée de son cabinet et il alla se promener dans son jardin.

Pendant son absence, un de ses amis entra dans la chambre, remarqua la pomme et la mangea. Quand le poète rentra il ne trouva plus sa pomme ; il s'écria d'une voix altérée : — Miséricorde ! Où est la pomme cuite que j'ai laissée là ? Qui l'a mangée ? — Oh, cria l'ami, ce

---

[1] La Fontaine: a great French writer of the 17th century, noted especially for his fables.

n'est pas moi ; je n'ai pas vu votre pomme. — Ah ! tant mieux ! [1] dit La Fontaine, avec un soupir de soulagement.

— Pourquoi donc ? — C'est, dit-il avec indifférence, parce que j'avais placé de l'arsenic dans cette pomme
15 pour me débarrasser des rats. — De l'arsenic ! ah, mon ami ! je suis empoisonné ; un antidote, vite, un médecin ! . . . — Tranquillisez-vous, lui dit alors La Fontaine, calmez-vous ! Ce n'est qu'une plaisanterie. Je désirais seulement savoir qui avait mangé ma pomme.

Questionnaire 1

1. Qui était très frugal ? 2. Que mangeait-il pour son déjeuner ? 3. Pourquoi posa-t-il la pomme sur la cheminée ? 4. Mangez-vous une pomme au déjeuner ? 5. Qui entra dans la chambre ? 6. Que mangea l'ami de La Fontaine ? 7. Dit-il qu'il avait mangé la pomme ? 8. Est-ce que La Fontaine avait placé de l'arsenic dans la pomme ? 9. Est-ce que l'ami était empoisonné ? 10. Etait-ce une plaisanterie ? 11. Qu'est-ce que La Fontaine désirait savoir ? 12. Est-ce que l'arsenic est un poison ?

Traduction

1. La Fontaine does not eat much for breakfast. 2. He has a baked apple for breakfast. 3. He puts it on the mantel-piece. 4. He goes into the garden. 5. One of his friends eats the apple. 6. La Fontaine returns. 7. Who has eaten my apple ? 8. His friend has eaten the apple. 9. He had put arsenic in the apple. 10. His friend is poisoned. 11. Where is the doctor ? 12. It

---

[1] tant mieux, *so much the better*.

page quarante-quatre

is only a joke. 13. La Fontaine wanted to know who had eaten the apple. 14. Did you eat an apple this morning? 15. Do you like jokes?

Questionnaire 2

1. Votre déjeuner est-il frugal? 2. Aimez-vous les pommes cuites? 3. Y a-t-il une cheminée dans cette salle de classe? 4. Y a-t-il une cheminée chez vous? 5. Y a-t-il des rats chez vous? 6. Mangent-ils de l'arsenic? 7. Que faites-vous pour vous débarrasser des rats?

Pratique de Grammaire

Note the verbs, — il alla, il posa, il remarqua, il trouva, il s'écria.

To what conjugation do all these verbs belong? What, then, is the characteristic ending of the past definite in the third person, singular number, of verbs of the first conjugation?

In the same way, give the third person, singular, of — promener, composer, désirer, calmer, se cacher, s'arrêter.

Modèle. — La pomme que j'ai laiss**ée** là. Qui l'a mang**ée**?

Why is the past participle made feminine?

In the same way, write the French for : —

There is the apple; I have placed it on the mantel. Have you found it? When did you see it? He left it in the room.

    Bonjour, lundi,
    Comment va mardi?
    Très bien, mercredi;
    Je viens de la part de jeudi
    Dire à vendredi
    Qu'il s'apprête samedi
    Pour aller à l'église dimanche.

19. LE BERGER MENTEUR

Il y avait une fois un jeune berger appelé Michel, qui gardait ses brebis dans une prairie située près d'une grande forêt, où il y avait des loups.

Michel n'était ni méchant ni paresseux ; il gardait
5 bien et aimait beaucoup ses brebis et ses agneaux. Mais il avait un grand défaut ; il mentait sous tout prétexte. Il inventait toute sorte de contes, et les disait à tout le monde.

Un jour il était tout seul. Il commença à crier de
10 toute sa force, "Au loup ! au loup !" Les autres bergers, qui n'étaient pas très loin, accoururent à toutes jambes[1] pour lui porter secours. Mais il n'y avait pas de loup, et le menteur commença à rire de ses compagnons, qui avaient été si empressés de venir à son
15 aide. Il riait et dansait en disant : "Eh, mes amis, c'est moi qui suis le loup !" Il était tout joyeux de les avoir si bien attrapés et de les voir partir pleins de dépit !

Mais il est dangereux de tromper, même pour rire.
20 Un jour, un loup sort réellement de la forêt, et se jette sur une des plus belles brebis du troupeau. Michel accourt bravement avec son chien pour la défendre : le chien mord le loup : et le berger lui donne des coups de

---

[1] accoururent à toutes jambes, *ran up as fast as they could.*

LE BERGER MENTEUR

bâton. En même temps il jette des cris de détresse,
"Au secours! au loup! au loup!"

Les autres bergers l'entendent, mais ils se disent en
eux-mêmes, "Voilà Michel qui veut encore se moquer[1] de
nous." Et ils restent à garder leurs moutons, et ne font
pas attention à lui. Le loup étrangle le chien, puis il
emporte la brebis dans la forêt.

Michel en était si triste, que, depuis ce temps il ne
mentait plus jamais; il avait appris qu'on ne croit pas
un menteur, même quand il dit la vérité.

Questionnaire

1. Qui était Michel? 2. Que faisait-il? 3. Où était le troupeau? 4. Qu'est-ce qu'il y avait dans la forêt? 5. Michel était-il bon? 6. Etait-il paresseux? 7. Quel était son grand défaut? 8. Que cria-t-il un jour?

[1] se moquer de, *to make fun of.*

LE BERGER MENTEUR

9. Est-ce qu'il y avait réellement un loup? 10. Que dit-il aux bergers? 11. En étaient-ils joyeux? 12. Qui sort un jour de la forêt? 13. Que fait le chien? 14. Quels cris jette Michel? 15. Est-ce que les bergers l'entendent? 16. Est-ce qu'ils font attention à lui? 17. Pourquoi pas? 18. Que fait le loup? 19. Quelle leçon Michel a-t-il apprise? 20. Quelle est la morale de cette histoire? 21. Est-ce que vous mentez quelquefois?

Traduction

1. Michael is a nice little boy. 2. He tends a flock of sheep. 3. But he has a great fault. 4. He tells falsehoods. 5. There is a forest near the meadow. 6. There are wolves in the forest. 7. One day Michael shouts that there is a wolf near the sheep. 8. The other shepherds arrive. 9. There is no wolf. 10. The shepherds are fooled. 11. But one day a wolf really comes out of the forest. 12. He throws himself on the dog and on Michael. 13. Michael shouts, "Help, Help!" 14. The shepherds do not pay attention to him. 15. The wolf carries off a lamb. 16. Michael tells no more stories. 17. I don't believe a story-teller. 18. I always speak the truth. 19. We must (p. 32) always tell the truth.

Pratique de Transposition

1. Mettez les phrases des deux premiers paragraphes, lignes 1–8, au présent.

2. Mettez les phrases du troisième paragraphe, lignes 9–18, à la première personne du singulier.

page quarante-huit

3. Mettez les phrases du quatrième paragraphe, lignes 19-25, à l'imparfait.

4. Mettez à la forme interrogative toutes les phrases affirmatives de la leçon.

Trente jours ont novembre,
Avril, juin et septembre ;
De vingt-huit il en est un,
Les autres en ont trente et un.

20. PRÉSENCE D'ESPRIT

Aaron Burr, étant à Paris, reçoit un jour une somme assez considérable envoyée d'Amérique. Le valet qu'il a à son service (c'est un Anglais), forme le projet de lui voler cette somme.

Le même soir, à une heure très avancée, Burr est occupé à écrire dans sa chambre ; sa porte s'ouvre tout doucement. Il lève la tête et voit son valet qui entre, un pistolet à la main. "Hé, maraud!" s'écrie Burr à l'instant, "Comment ! tu oses entrer ici avec ton chapeau sur la tête!"

Le valet tout machinalement et par l'habitude de la déférence propre à un domestique, lève le bras pour ôter son chapeau. Burr, profitant de ce mouvement, se précipite sur lui, le renverse, le désarme, et appelant à son aide, le remet entre les mains de la police.

Questionnaire

1. Où était Aaron Burr? 2. Qu'est-ce qu'il reçoit un jour? 3. Qui est son valet? 4. Quel projet forme le valet? 5. Où était Burr ce soir-là? 6. Qui entre dans sa chambre? 7. Le valet qu'a-t-il à la main? 8. Que dit Burr à l'instant? 9. Est-ce une ruse? 10. Que lève le valet? 11. Qu'est-ce qu'il ôte? 12. Est-ce que vous ôtez votre chapeau à l'école? 13. Sur qui se précipite-t-il? 14. A qui remet-il le valet? 15. Est-ce que Burr a montré de la présence d'esprit? 16. Etait-il en danger? 17. Avez-vous de la présence d'esprit?

Traduction

1. Aaron Burr was in Paris. 2. He receives a large sum of money from America. 3. His valet is an Englishman. 4. The valet has a plan to steal this sum. 5. Burr is in his room. 6. His door opens. 7. He raises his head. 8. The valet is entering the room. 9. He has a pistol in his hand. 10. He has his hat on his head. 11. Take off your hat. 12. The valet raises his hand. 13. He takes off his hat. 14. Burr jumps on him. 15. He disarms him. 16. He gives him over to the police. 17. Burr has presence of mind.

Pratique pour la Forme Interrogative

Modèle — **Qu'est-ce que** M. Burr reçoit un jour?

Sur ce texte-ci posez cinq questions qui commencent par **Qu'est-ce que.**

FÊTE BRETONNE.

"C'était fête au village; chacun dansait sous le feuillage." — p. 51, l. 9.

Modèle — **Pourquoi** le valet lève-t-il le bras ?

Sur ce texte-ci posez cinq questions qui commencent par **Pourquoi**.

Modèle — **Est-ce que** je le désarme ?

Sur ce texte-ci posez cinq questions qui commencent par **Est-ce que**.

Nommez les parties du corps humain mentionnées dans ce texte-ci. Nommez les parties que vous avez déjà apprises.

La Semaine De L'Écolier Paresseux

Lundi, mardi, fête ;
Mercredi, peut-être ;
Jeudi, la Saint-Nicolas ;
Vendredi, je n'y serai pas ;
Samedi, je reviendrai ;
Et voilà la semaine passée.

21. LA PETITE MENDIANTE

C'est la petite mendiante,
　Qui vous demande un peu de pain ;
Donnez à la pauvre innocente,
　Donnez, donnez, car elle a faim.
Ne rejetez pas ma prière !　　　　　　　　　5
　Votre cœur vous dira pourquoi.
J'ai six ans, je n'ai plus de mère,
　J'ai faim, ayez pitié de moi.

Hier, c'était fête au village :
　A moi personne n'a songé ;　　　　　　　10
Chacun dansait sous le feuillage,
　Hélas ! et je n'ai pas mangé.

Pardonnez-moi si je demande,
 Je ne demande que du pain;
Du pain, je ne suis pas gourmande,
 Ah! ne me grondez pas, j'ai faim.

N'allez pas croire que j'ignore
 Que dans ce monde il faut souffrir;
Mais je suis si petite encore,
 Ah! ne me laissez pas mourir!
Donnez à la pauvre petite
 Et pour vous comme elle priera!
Elle a faim! donnez, donnez vite,
 Donnez . . . quelqu'un vous le rendra.

Si ma plainte vous importune
 Eh bien, je vais rire et chanter;
De l'aspect de mon infortune
 Je ne dois pas vous attrister.
Quand je pleure, l'on me rejette,
 Chacun me dit, "Eloigne-toi,"[1]
Ecoutez donc ma chansonnette,
 Je chante, "ayez pitié de moi!"[2]

[1] Eloigne-toi, *go away from here.*
[2] ayez pitié de moi, *take pity on me!*

Questionnaire 1

1. Qui demande un peu de pain? 2. La mendiante a-t-elle faim? 3. Quel âge a-t-elle? 4. Quel âge avez-vous? 5. A-t-elle une mère? 6. Quand était cette fête? 7. Où dansait-on? 8. Qui a songé à la petite mendiante? 9. Est-ce qu'elle a mangé? 10. Est-elle gourmande? 11. Etes-vous gourmand? 12. La pauvre mendiante souffre-t-elle beaucoup? 13. Pour qui priera-t-elle? 14. Va-t-elle rire et chanter? 15. Est-elle heureuse? 16. Que fait-on quand elle pleure? 17. Que dit chacun? 18. Que chante-t-elle?

Traduction

1. The poor beggar girl is hungry. 2. She is a poor young girl. 3. She is six years old. 4. She has no mother. 5. She is hungry and she is poor. 6. She has not eaten any bread. 7. Do not scold the little girl. 8. She is in a little village. 9. Every one is dancing and she has no bread. 10. She is so little and young. 11. She will pray for you. 12. She will return the bread to you. 13. She is crying. 14. Every one repulses her. 15. She is singing. 16. Listen to her song. 17. Give her some bread. 18. She is not greedy. 19. Don't reject her prayers. 20. Have pity on her!

Questionnaire 2

1. Avez-vous mangé aujourd'hui? 2. Avez-vous mangé un peu de pain? 3. Avez-vous faim? 4. Pourquoi demandez-vous un peu de pain? 5. Re-

jetez-vous la prière des mendiants? 6. Avons-nous pitié des mendiants? 7. Faut-il souffrir dans ce monde? 8. Danse-t-on les jours de fête? 9. Pourquoi pleurez-vous, mon enfant? 10. A qui songez-vous?

Pratique de Grammaire

1. *Modèle*, l. 13, Pardonnez-**moi**! *Pardon me!* Note the word order in the Imperative-Affirmative. In the same manner give in French:— Ask me! Give me! Scold me! Believe me! Leave me! Listen to me!

2. *Modèle*, l. 16, Ne **me** grondez pas! *Do not scold me!* Note the word-order in the Imperative-Negative. In the same manner give in French:— Do not ask me! Do not pardon me! Do not give me! Do not leave me! Do not reject me! Do not listen to me!

3. *Modèle*, l. 7, J'**ai** six ans. *I am six years old*. In the same manner give in French:— I am fifteen years old. My chum is twelve. Are you thirteen years old? My sister is not yet sixteen. How old are you?

4. Conjugate through all the persons of the Present Tense, positively and negatively, J'ai faim, l. 8.

5. Conversational practice on the illustration.

Voici l'été,
Comme il fait chaud!
Le ciel est clair,
Comme il fait beau!

22. LA FONTAINE ET LE VOLEUR

La Fontaine[1] était un homme simple et pauvre, dévoué à son travail. Il n'avait pas de valet. Il travaillait dans son lit, sans feu, son habit sur sa tête, et son bonnet par-dessus.

Un matin, il entend frapper à sa porte:
— Qui va là?
— Ouvrez!

Il tire un cordon et la porte s'ouvre. La Fontaine ne regarde pas. — Qui êtes-vous?

— Donnez-moi de l'argent!
— De l'argent?
— Oui, de l'argent!
— Ah, j'entends, vous êtes un voleur!
— Voleur ou non, donnez-moi de l'argent!
— Vraiment! Eh bien, cherchez là-dedans!

Il baisse la tête, et présente une poche de son habit. Le voleur fouille.

— Eh bien, il n'y a pas d'argent.
— Vraiment non, mais il y a ma clef.
— Eh bien, cette clef?
— Cette clef, prenez-la!
— Je la tiens.
— Ouvrez ce secrétaire!

Le voleur met la clef à un autre tiroir.

[1] La Fontaine, a famous writer of fables of the 17th century.

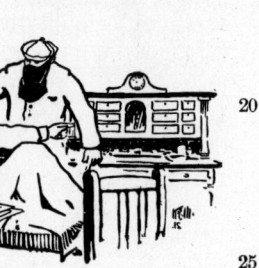

— Laissez donc, ne dérangez pas ! Ce sont mes papiers. Ventrebleu ! Finissez donc ! Ce sont mes papiers ! Dans l'autre tiroir vous trouverez de l'argent.

— Le voilà.

— Eh bien, prenez ! Fermez donc le tiroir !

Le voleur s'enfuit.

— Monsieur le voleur, vous n'êtes pas poli, fermez donc la porte !

— Morbleu, il laisse la porte ouverte ! Quel chien de maudit voleur !

La Fontaine saute du lit. Il ferme la porte, et se remet à son travail, sans penser peut-être, qu'il n'aura pas de dîner ce jour-là.

Questionnaire

Note that the questions are all in the Future tense.

1. Où La Fontaine travaillera-t-il ? 2. Qu'est-ce qu'il aura sur la tête ? 3. Qu'est-ce qu'il entendra ? 4. Qu'est-ce qu'il tirera ? 5. Qu'est-ce qui s'ouvrira ? 6. Est-ce qu'il regardera ? 7. Qui entrera ? 8. Sera-ce un voleur ? 9. Qu'est-ce que le voleur demandera ? 10. Qu'est-ce que La Fontaine baissera ? 11. Qu'est-ce qu'il présentera ? 12. Où fouillera le voleur ? 13. Y aura-t-il de l'argent dans l'habit ?

14. Qu'est-ce que La Fontaine donnera au voleur ? 15. Qu'est-ce que le voleur ouvrira ? 16. Qu'est-ce qu'il y aura dans le tiroir ? 17. Où le voleur trouvera-t-il de l'argent ? 18. Est-ce que le voleur fermera le tiroir ? 19. Est-ce que le voleur fermera la porte ? 20. Est-ce qu'il laissera la porte ouverte ? 21. Qui fermera la porte ? 22. Est-ce que le voleur sera poli ?

23. Prendra-t-il l'argent?   24. Aurez-vous de l'argent?
25. Laisserez-vous la porte ouverte?   26. Fermerez-vous toujours la porte?

Traduction

1. La Fontaine is devoted to his work.   2. He is poor and modest.   3. I am devoted to my work.   4. I do not work in bed.   5. He is in his bed.   6. There is no fire.   7. He has his coat over his head.   8. A thief knocks on the door.   9. He opens the door.   10. Open the door!   11. He asks for money.   12. Give me some money!   13. La Fontaine does not look at the robber.

14. He holds out his coat.   15. In a pocket there is a key.   16. The robber opens the desk with the key.   17. In one drawer La Fontaine has his papers.   18. The robber finds the money in another drawer.   19. He does not close the door.   20. Close the door!   21. The robber is not polite.   22. I am always polite.   23. Poor La Fontaine jumps out of his bed.   24. He closes the door.   25. He jumps into his bed.   26. But he will have a poor dinner that day.

Pratique de Grammaire

1. Retell the entire story, changing all the verbs to the First Person Singular. Omit the conversational parts.

2. Conversations based on the illustration.

3. Practice in Composition.   (To be written.)

My father is a plain man, but he is very good. When I have no money in my pocket, I present myself at his door. I knock and he opens. "Why are you here? What do you want?" he asks me. "Give me some money, father. I have no more money. I gave some money to a poor little beggar girl who was hungry. I was not hungry, and she said to me, 'Some one will return it to you.' Return it to me, father!" "Here, take this key," says my father. "Go to that desk! Put the key in the drawer! Open the drawer and take some money! But do not disturb my papers! You are a good boy; you have given your money to the poor beggar girl."

>Elèves, un peu de silence,
>Les mains sur les bancs, commençons!
>A vous la première, Clémence,
>Venez réciter vos leçons!

23. HENRI MONNIER ET LE PORTIER

Un jour, Henri Monnier se présente chez un portier et lui demande, "M. Henri Monnier, est-il ici?"—"Non, monsieur, il ne demeure pas ici, il n'est pas ici."—"Si fait,[1] il est ici, car c'est moi qui suis Henri Monnier!"
5 ... et il part.

Le lendemain, il revient grimé et méconnaissable: "M. Henri Monnier?"—"Il n'est pas ici, monsieur."— "Si fait, car c'est moi et je suis ici!" ... et il part comme la première fois.

10 Un autre jour encore et grimé d'une façon différente,[2] il revient à la même porte; "M. Henri Monnier?"—"Il n'est pas ici."—"Si fait," répond le mauvais plaisant,

---

[1] Si fait ..., *yes, indeed.* Si fait is used for "oui" as a strong affirmative answer to a negative statement.
[2] d'une façon différente, *in a different way.*

" c'est moi qui suis Henri Monnier."— " Si vous revenez," lui réplique le portier exaspéré, " je ne vous répondrai pas, mais je vous donnerai des coups de bâton, entendez-vous ? "

Et Henri Monnier retourne chez lui, se met à son bureau, et écrit à quelques-uns de ses amis :

" Cher ami, j'ai changé de logement ; je demeure actuellement telle rue, tel[1] numéro (la rue et le numéro de son portier mystifié). Venez ce soir : nous aurons un souper d'amis."

Le soir, un ami se présente chez le portier de la nouvelle maison de Henri Monnier : " M. Henri Monnier ? "— " Ah ! vous voilà encore ? attendez ! " . . . Et l'infortuné ami reçoit pour toute réponse et pour tout souper une volée de coups de bâton. Un second ami arrive ; même question, même réponse ; et tous les invités subissent le même sort.

Questionnaire

1. Où se présente M. Monnier ? 2. Qu'est-ce qu'il demande ? 3. Quand revient-il ? 4. Dit-il toujours la même chose ? 5. Que répond toujours le portier ? 6. Est-ce que M. Monnier demeure dans cette maison ? 7. Qui est M. Monnier ? 8. Est-ce que M. Monnier est un plaisant ? 9. Pourquoi le portier est-il exaspéré ? 10. Combien de fois revient-il ? 11. A qui écrit M. Monnier ?

12. Qu'est-ce qu'ils auront ? 13. Où se présentent les amis de M. Monnier ? 14. Que reçoivent-ils ? 15. Est-ce qu'ils reçoivent un bon souper ? 16. Que pensez-vous de M. Monnier ? 17. Plaisantez-vous

---

[1] tel(-le) . . . tel, *such* . . . *such.*

quelquefois? 18. Aimons-nous les mauvais plaisants?
19. Quand avez-vous changé de logement? 20. Allez-vous changer de logement? 21. Où demeurez-vous?
22. Et le mauvais plaisant, votre ami, où demeure-t-il?

Traduction

1. M. Monnier is a joker. 2. He calls on a janitor.
3. He asks for M. Monnier. 4. The janitor tells him that M. Monnier does not live there. 5. Why, he does, am I not here? 6. I am M. Monnier. 7. He comes back a second time. 8. He is painted up. 9. He asks the same question. 10. He gives the same answer. 11. The janitor is exasperated.

12. If you come back, I will give you a beating.
13. Henry returns home. 14. He writes to his friends.
15. He tells them that he has moved. 16. He will give a supper. 17. Come! 18. The friends call on the janitor. 19. One friend asks for M. Monnier.
20. The janitor thinks it is the same Henry. 21. He gives him a sound beating. 22. The other friends meet the same fate. 23. It was a good joke.

Drill

1. *Model*, l. 14, **je répondrai.** l. 15, **je donnerai.** Future First Person Singular. Following these models, give the First Person Singular of the Future of all the verbs given in the Third Person Future in the preceding Questionnaire on La Fontaine et le Voleur, p. 56.

2. For written practice: —

I have a friend who is a bad joker. He invites us to suppers that we do not receive. He writes to our friends and tells them

Revue des Troupes Françaises dans un Village Lorrain.
"Dans un petit village de Lorraine." — p. 61, l. 1.

that we have changed our address. Then we are exasperated when our friends do not arrive. They write to us and say, " Have you moved? Where do you live now?"

Noël

Adieu, Noël —   Noël s'en va —
Il s'est passé !   Il reviendra.

24. LE MENSONGE BIEN SOUTENU

Dans un petit village de Lorraine,[1] les paysans ont l'usage, quand ils tuent un cochon, d'annoncer cette fête à leurs amis en leur envoyant un morceau. Un des villageois a reçu beaucoup de présents de cette nature. Enfin, il tue un cochon. "Voyons," se dit-il, "ce cochon que je viens de[2] tuer ne sera pas assez gros pour donner des présents à tous mes amis. Qu'est-ce que je ferai?" Dans son embarras, il va trouver un de ses amis et lui dit, "Je viens de tuer mon cochon. Il est assez gros, mais il ne suffira pas si je veux rendre des présents à tous ceux de qui j'en ai reçu. Donnez-moi, je vous prie, votre avis."

— "Mon meilleur conseil," lui dit son voisin, après un moment de réflexion, " ce sera de dire demain, quand vous vous lèverez, qu'on vous a volé votre cochon pendant la nuit."

---

[1] Lorraine, a province of northeastern France, a large part of which was taken from the French by Germany in the Franco-Prussian war, but, with Alsace, returned to France by the Treaty of Versailles, June, 1919, after the Great War, 1914–1918.   [2] viens de, *have just*.

Le paysan trouve le conseil excellent et promet de le suivre. De son côté, le donneur du conseil profite de la nuit pour enlever en effet le cochon.

L'étonnement et la consternation du paysan, qui le lendemain ne trouve pas son cochon, sont très grands. Il sort tout alarmé, et le premier qu'il rencontre est précisément celui qui lui avait joué le tour.

— "Mon ami," lui dit-il, "on m'a volé le cochon que j'ai fait tuer hier!"

— "Bon," lui dit le rusé voisin, "voilà comme il faut dire à tous ceux que vous rencontrerez."

— "Mais ce n'est pas une feinte; on me l'a réellement volé!"

— "Fort bien," lui répond l'autre, "continuez sur ce ton-là, et tout le monde vous croira."

Le paysan, attrapé, se met à jurer et à crier qu'il ne plaisante pas; mais plus il s'emporte, plus l'autre lui dit qu'il joue vraiment bien son rôle et que c'est là[1] la véritable manière de se dispenser de rendre les présents qu'on a reçus.

Questionnaire

1. Qu'est-ce que le paysan a tué? 2. A qui doit-il donner des morceaux du cochon? 3. Est-ce que le cochon est assez gros pour tous ses amis? 4. Où va-t-il demander conseil? 5. Qui a volé le cochon? 6. Quand est-ce que le voisin a volé le cochon? 7. A qui est-ce que le paysan raconte que le cochon a été volé?

[1] c'est là, *that is.*

LE MENSONGE BIEN SOUTENU

8. Est-ce que le paysan est beaucoup alarmé? 9. Est-ce une feinte? 10. A-t-on réellement volé le cochon? 11. Est-ce une plaisanterie? 12. Est-ce que le monde croira le paysan?

Traduction

1. The peasant kills a pig. 2. The pig is not big enough for all his friends. 3. He asks advice of a neighbor. 4. Say that some one has stolen your pig. 5. The neighbor really stole the pig. 6. The peasant is alarmed. 7. He is not joking. 8. Some one has stolen his pig. 9. Does he play his part well? 10. The peasant is caught.

Pratique sur le Futur

1. *Model*, l. 17, vous vous lèver**ez**, *you will get up.* Vous rencontrer**ez**, l. 31, *you will meet.* Future, Second Person Plural. In the same way, give the Second Person Plural of the Future of the other verbs found in this selection, vous continuer-, vous tuer-, vous prier-, etc.

2. *Model*, l. 13, il suffir**a**, *it will suffice*, il croir**a**, *he will believe*, il ser**a**, *it will be.* Future Third Singular. Following these models, give the Third Person Singular of the Future of the other verbs in this selection : il annoncer-, il trouver-, etc.

3. From the Future First Singular model given in the preceding lesson, give the First Person Singular of the Future of the verbs in this selection.

4. Give all the above verb-forms negatively.

5. Use the idiomatic expression, **venir de**, *to have just*, in ten original sentences, using the words of this text. See p. 61, l. 8.

Paris n'a pas été fait en un jour !
Rome was not built in a day !

25. LE CHEVAL VOLÉ

On avait volé un cheval à un fermier. Celui-ci se rend à une foire aux chevaux[1] qui se tenait justement à une quinzaine de milles de chez lui, pour en acheter un autre. En parcourant le champ de foire, il voit son propre cheval parmi ceux qui sont en vente.

"Ce cheval est à moi," dit-il à l'homme qui le garde, "on me l'a volé il y a trois jours."

"Ce n'est pas possible," dit l'autre, "il y a trois ans que je l'ai."

"Trois ans?" dit le fermier, "j'en doute." Puis mettant subitement les mains sur les yeux du cheval: "Voyons, de quel œil est-il borgne?"

Le bruit de la dispute commence à attirer l'attention des voisins; il faut répondre sans hésitation:

"De l'œil gauche," dit-il.

Le fermier ôte sa main de dessus cet œil gauche qui paraît clair et brillant.

"Oh! je me suis trompé," se hâte de reprendre l'autre; "je veux dire de l'œil droit."

---

[1] foire aux chevaux, *horse fair*.

FOIRE AUX CHEVAUX, DANS UN VILLAGE FRANÇAIS.
"Le fermier se rend à une foire aux chevaux." — p. 64, l. l.

"Il n'est borgne ni de l'œil droit, ni de l'œil gauche," dit le fermier, ôtant l'autre main. "Il est évident que tu es un voleur; vous le voyez, vous autres!" continue-t-il en s'adressant à la foule autour de lui.

Le voleur essaye de se sauver, en entendant ces mots. Mais il est saisi et conduit devant le magistrat, tandis que le fermier reprend possession de son cheval.

Questionnaire

1. A qui a-t-on volé un cheval? 2. Où se rend le fermier? 3. Pourquoi le fermier se rend-il à la foire? 4. Qu'est-ce qu'il voit à la foire? 5. Qui gardait le cheval? 6. A qui est ce cheval? 7. Combien y a-t-il que l'autre a le cheval? 8. Est-ce que le cheval est borgne de l'œil gauche? De l'œil droit? 9. Le cheval est-il borgne? 10. L'homme est-il voleur? 11. A qui s'adresse le fermier? 12. Qu'est-ce que le voleur essaye? Est-il saisi? 13. Où le conduit-on? 14. Que fait le fermier? 15. Le fermier est-il content?

Traduction

1. A farmer had a horse. 2. His horse had been stolen. 3. He goes to the fair. 4. He sees his horse at the fair. 5. It is on sale. 6. A man is holding it. 7. The horse had been stolen three days before. 8. The man says that he has had that horse three years. 9. The farmer puts his hands over the horse's eyes. 10. He is not blind in his right eye. 11. He is not blind in his left eye. 12. The horse is not blind. 13. The man is a thief. 14. He has

stolen the farmer's horse. 15. The thief is caught. 16. The farmer gets back his animal.

Pratique de Grammaire

1. Pick out of the text the following phrases frequently used in French and learn them: It is impossible. I doubt it. I am mistaken. I mean. Let's see. It is evident.

2. *Model*, **il y a** trois jours, l. 7, *three days ago*. Note the use of **il y a**, meaning *ago*, and its position **before** the expression of time. In the same way give: Two months ago. Five weeks ago. An hour ago. Long ago.

3. Supply the correct preposition in place of the dash in the following sentences: On a volé un cheval — un fermier. Ce cheval est — moi. Il met les mains — les yeux. La dispute commence — attirer la foule. Il se hâte — reprendre son cheval. Il s'adresse — la foule. Le voleur essaye — se sauver.

4. Practice conversation on the illustration.

A bon chat, bon rat.   *Tit for tat.*

Défense d'afficher !   *Post no bills!*

26. UN AVOCAT SUBTIL

"Vous êtes bien habile," dit François à M[e].[1] Labori, un des avocats les plus célèbres de Paris; "je voudrais bien vous voir résoudre un cas assez difficile."

[1] M[e]., Maître, the title usually given to lawyers in France

UN AVOCAT SUBTIL

"Parlez," dit M^e. Labori, "je ferai de mon mieux."

"Voici le cas : — deux sœurs jumelles, demeurant dans la même maison, ont deux poupons du même âge qui se ressemblent comme deux gouttes d'eau, et qu'on habille l'un comme l'autre. Or, par la maladresse des nourrices, les bébés ont été mêlés et changés, et on ne peut plus les reconnaître ; on ne sait lequel est Paul et lequel est Pierre. Comment les mères retrouveront-elles chacune son enfant !"

"Peut-être," dit l'avocat, "s'ils se ressemblent tant, ils n'ont pas été changés du tout."

"Mais si, ils ont été changés."

"En êtes-vous sûr ?"

"Parfaitement certain."

"Eh bien, *r*echangez-les, et chacune des deux mères aura son propre enfant. Je ne vois là aucune difficulté !"

Questionnaire

1. A qui parle François ? 2. Qui est Maître Labori ? 3. Le cas est-il difficile ? 4. Que sont les sœurs ? 5. Où demeurent-elles ? 6. Qu'est-ce qu'elles ont ? 7. Les poupons se ressemblent-ils ? 8. Comment se ressemblent-ils ? 9. Comment les bébés ont-ils été changés ? 10. Peut-on reconnaître les bébés ? 11. François est-il certain que les bébés ont été changés ? 12. Que répond M^e. Labori ? 13. Le cas est-il difficile pour Maître Labori ?

Traduction

1. M^e. Labori is a clever lawyer. 2. François tells him about a difficult case. 3. Here is the case. 4. There are two sisters. They are twins. 5. They

have two babies of the same age. 6. The babies resemble each other very much. 7. The babies are changed through the blundering of the nurses. 8. Which is Paul? Which is Peter? 9. No one knows. 10. How are the mothers going to find their own children? 11. Are you sure, François, that the children have been changed? 12. I am perfectly sure. 13. Well, I shall change them back again. 14. This case is not difficult.

Pratique de Grammaire

1. *Model*, l. 11, elles retrouver**ont**, *they will find again*, Future Third Person Plural. In the same way, form the Future Third Plural of the other verbs of the text: elles ressembler-, elles changer-, elles mêler-, elles aur-, elles habiller-, elles parler-, elles fer-, elles résoudr-, elles vivr-, etc.

2. *Model*, l. 4, je fer**ai**, *I shall do*, Future First Singular. Following this model, make the Future First Singular of all of the above verbs.

3. From the drill on the Future in Exercise 24, p. 63, give the other persons of the Future of these same verbs.

4. Conversational Practice on the Illustration.

Aide-toi, le ciel t'aidera!
Heaven helps those that help themselves!

27. DES LUNETTES QUI FASSENT[1] LIRE

Un vieux paysan entre un jour chez un opticien à la ville et demande des lunettes. On lui en présente une paire qu'il se met sur le nez, et en même temps on lui

[1] qui fassent lire, *which make you read.* Subjunctive of faire after the indefinite relative pronoun qui.

donne un journal pour faire l'essai. Après avoir regardé
le papier une minute à différentes distances, tantôt 5
l'éloignant, tantôt[1] le rapprochant de ses yeux, il secoue
la tête :
"Cette paire ne me va pas," dit-il, "essayons-en
une autre."

On lui donne une autre paire ; nouveaux essais.... 10
"Celle-ci ne vaut rien non plus,[2]" dit-il, "montrez-
m'en d'autres."

Une troisième paire, une quatrième, une cinquième
sont essayées sans succès.

"Mais vous n'avez donc pas," dit-il d'un ton im- 15
patienté, "des lunettes avec lesquelles je puisse[3] lire ?"

"Que si,"[4] dit l'opticien, "voyez encore celles-ci."

Le paysan ajuste les lunettes et reprend le journal ; mais
le marchand s'aperçoit qu'il tient le journal tête-bêche.[5]

[1] tantôt ... tantôt, *now ... now.*   [2] non plus, *neither.*
[3] puisse, see note 1, p. 68, subjunctive of pouvoir.
[4] que si, *why. yes, of course.*   [5] tête-bêche, *upside down.*

DES LUNETTES QUI FASSENT LIRE

20 " Holà ! " dit-il, " mais savez-vous [1] lire au moins ? "

"Moi, lire ? non. Si je savais lire, aurais-je besoin de lunettes ? Ecoutez : notre maître d'école, chez nous, sans ses lunettes ne sait pas distinguer A de B ; mais quand il les a sur le nez, ça va tout seul.[2] Je voudrais des lunettes comme les siennes, des lunettes qui fassent lire."

Questionnaire

1. Chez qui le paysan entre-t-il? 2. Pourquoi? 3. Où se met-il les lunettes ? 4. Comment regarde-t-il le journal ? 5. Est-ce que cette paire lui va ? 6. Combien de paires a-t-il essayées ? 7. Que demande-t-il enfin à l'opticien ? 8. Que lui répond-il ? 9. Dans son dernier essai comment le paysan tient-il le journal ? 10. Est-ce qu'il pouvait lire de cette façon ? 11. Est-ce qu'il savait lire ? 12. Pourquoi donc demande-t-il les lunettes ? 13. Avez-vous besoin de lunettes ?

Traduction

1. There was an old peasant who could not read. 2. He goes to an optician. 3. He asks for glasses to read with. 4. They give him a pair. 5. He puts them on his nose and at the same time they give him a paper. 6. He looks at it, but he cannot read it. 7. He tries on five pairs, but these do not fit him either. 8. When he looks at the paper, he holds it upside down. 9. " Say, you don't know how to read." 10. " No," answered the peasant, " that's why I am asking for glasses which will teach me how to read."

---

[1] savez lire, *can read*, in the sense of knowing how ; savoir, mentally able ; pouvoir, physically able. [2] tout seul, *by itself*

Pratique de Grammaire

1. *Model*, l. 8, Essayons-en une autre ! *let us try another of them !* Note the use of the Partitive Pronoun **en** and its position **after** the verb in the Imperative-Affirmative. Following the model, give in French : Here are some papers; give one of them to the school teacher. Take another of them. Let us look at another of them.

2. *Model*, l. 2, On lui **en** présente une paire, *they offer him a pair of them.* Note the position of the Partitive Pronoun **en before** the verb in all cases except the Imperative-Affirmative. Following the model, give in French : He has some newspapers; he looks at one of them. He gives two of them to the optician. He tries another of them. He wants another of them.

3. L. 20, Savez-vous lire ? *can you read ?* Je sais lire, *I can read.* Following the models, say in French : Can you sing? I can sing. Can you distinguish A from B? I can distinguish A from B. Can you speak French? I can speak French. Can he write? He can write. She cannot write.

4. Practice conversation on the illustration.

5. Act out the scene at the optician's.

Vouloir, c'est pouvoir.
Where there's a will, there's a way.

28. NOUS AVONS DÉMÉNAGÉ

Un gros financier, charmé de la situation d'un village où il passe l'été, achète une résidence tout au milieu et s'y installe. Il fait aussi venir un piano pour sa fille.

Ses rêves de félicité sont bientôt troublés : il a pour voisins, d'un côté un serrurier, et de l'autre un forgeron. Toute la journée, à droite et à gauche, le marteau bat l'enclume ; le bruit le réveille le matin et, le soir, tue les mélodies favorites que sa fille lui joue sur le piano.

Il cherche un remède ; et, après avoir bien réfléchi, il va trouver le serrurier :

"Voulez-vous aller loger ailleurs ? " lui dit-il, "je vous donnerai cinquante francs."

Jean le serrurier consent ; et le richard va trouver Jacques le forgeron. Pour cinquante francs ce dernier changera aussi de demeure. Cet arrangement conclu, le financier fait un petit voyage pour laisser à ces gens le temps de trouver une nouvelle demeure.

Il retourne le soir. Le lendemain matin il est encore réveillé par l'infernal vacarme des marteaux. Furieux, il se lève et va accabler le serrurier de reproches.

"Hé quoi," réplique celui-ci, "n'avons-nous pas déménagé ? Moi, j'ai pris la place de Jacques et lui, il a pris la mienne."

Questionnaire 1

1. De quoi le financier était-il charmé ? 2. Quand était-il au village ? 3. Qu'est-ce qu'il achète ? 4. Que donne-t-il à sa fille ? 5. Qui sont ses voisins ? 6. Comment sa félicité est-elle troublée ? 7. Quel remède cherche-t-il ? 8. Que demande-t-il à ses

voisins? 9. Combien leur donnera-t-il pour déménager? 10. Est-ce que les voisins consentent? 11. Que fait notre financier? 12. Quand retourne-t-il? 13. Le bruit a-t-il cessé? 14. Le financier est-il furieux? 15. Où va-t-il? 16. Les voisins ont-ils changé de maison? 17. Comment ont-ils déménagé?

Traduction

1. A financier is charmed with a village. 2. He is very rich. 3. He has passed the summer in the village. 4. He buys a beautiful house. 5. He also buys a piano for his daughter. 6. He has two neighbors,— a locksmith and a blacksmith. 7. They make an infernal noise, night and day, with their hammers. 8. For fifty dollars they will change their dwelling. 9. He gives fifty dollars to his neighbors. 10. They consent to move. 11. He gives them time to find a new home. 12. The financier returns. 13. But the noise is still infernal. 14. He is furious. 15. He reproaches his neighbors. 16. But they had moved. 17. They had changed places. 18. John had taken James' place, and James had taken John's.

Questionnaire 2

1. Qui sont vos voisins? 2. Qui est à votre droite? 3. Qui est à votre gauche? 4. Où votre famille passe-t-elle l'été? 5. Etes-vous charmé de la situation de votre maison d'été? 6. Quel bruit vous réveille le matin? 7. Ce bruit trouble-t-il vos rêves? 8. A quoi rêvez-vous? 9. Quelles sont vos mélodies favo-

rites? 10. Y a-t-il un vacarme dans la salle de classe? 11. Avez-vous changé de demeure cet été? 12. Jean, de qui avez-vous pris la place?

Pratique de Grammaire

1. *Transposition.* Relisez toute l'histoire en mettant tous les verbes au Futur.

2. *Model,* l. 3, Il **fait venir** un piano, *he sends for a piano.* Note this use of the verb faire as a causative verb. Following this model give the French for: He sends for the blacksmith. I send for the doctor. We will send for the locksmith. His daughter sends for her friends.

Je suis un petit garçon
Qui sais toujours bien ma leçon;
Avec de la persévérance
Je parlerai tout comme en France.

29. LE MEUNIER ET L'ÂNE

Un meunier et son fils chassent devant eux un âne qu'ils veulent vendre à la ville.

"Pourquoi," dit un cavalier qu'ils rencontrent, "laissez-vous aller l'âne à vide,[1] tandis que l'un et l'autre vous
5 allez à pied?" Aussitôt le fils monte sur l'animal.

Un voiturier, qui passe, crie, "N'avez-vous pas honte, grand lourdaud, d'être monté sur l'âne tandis que votre vieux père doit vous suivre à pied?" Le fils, sensible à la réprimande, se hâte de descendre. Son père prend sa
10 place.

[1] à vide, *without a load.*

LE MEUNIER ET L'ÂNE 75

Une paysanne passe, qui porte sur sa tête une corbeille de fruits. "Voyez," dit-elle, "le bon père, assis à son aise, sur l'âne, en laissant son pauvre fils trotter dans la boue derrière lui." Le jeune campagnard se place tout de suite derrière son père.

"Oh! la pauvre bête!" crie un berger qui gardait ses moutons au bord du chemin, "elle va périr! En vérité, vous traitez les animaux avec peu de pitié."

Tous deux quittent alors leur monture, et le fils, plein de dépit,[1] dit à son père, "Que ferons-nous maintenant pour satisfaire tout le monde? Attacherons-nous l'âne à une perche pour le transporter au marché, ou irons-nous le noyer là-bas dans la rivière?"

"Tu vois," répondit le père, "qu'il est impossible de contenter tout le monde."

Questionnaire

1. Qu'est-ce que le meunier et son fils chassent devant eux? 2. Où vont-ils? 3. Pourquoi vont-ils à la ville? 4. Comment vont-ils? 5. Qui rencontrent-ils en chemin? 6. Qui monte sur l'animal? 7. Qui

[1] plein de dépit, *disgusted.*

passe ensuite ? 8. Qu'est-ce qu'il crie ? 9. Que fait le fils ? 10. Qui est-ce qui monte maintenant ? 11. Etes-vous sensible aux réprimandes de vos maîtres ? 12. Qui est-ce qu'ils rencontrent ensuite ? 13. Qu'est-ce qu'elle dit ? 14. En Amérique porte-t-on des corbeilles sur la tête ? 15. Où se place le fils ? 16. Que crie un berger ? 17. Est-ce qu'ils ont pitié de l'âne ? 18. Que font-ils tous deux ? 19. Savez-vous monter à cheval ? 20. Que feront-ils de l'âne ? 21. Qu'est-ce qui est impossible ? 22. Est-il possible de contenter votre maître de français ? 23. Quand quittons-nous cette salle de classe ?

Traduction

1. A miller and his son have a donkey. 2. They want to sell the donkey in town. 3. They drive him before them. 4. They meet a horseman. 5. Why are you walking ? 6. Why is the donkey not laden ? 7. The son gets on the donkey. 8. A carter passes. 9. "You are a clown," says he. 10. Why must your father follow you on foot ?

11. The father now gets on the donkey. 12. A peasant woman meets them. 13. Why are you seated on the donkey ? 14. Your son ought not to tramp in the mud. 15. Now both get on the donkey. 16. But a shepherd says, "You have little pity." 17. You do not treat your donkey well. 18. Both then get off the animal. 19. They are greatly vexed. 20. It is impossible to satisfy everybody.

Pratique sur le Texte

1. Dramatize the story, one pupil taking the part of the father, another that of the son, another the carter, likewise the peasant woman, the shepherd, etc. The table or a chair may serve as the donkey. Act out the story and speak the speeches.

2. Retell the story, transposing all the verbs to the Future.
Model, Un meunier et son fils **chasseront** devant eux, etc.

3. *Model*, l. 16, derrière **lui**, *behind him;* l. 1, devant **eux**, *in front of them*.

Note that the preposition requires the disjunctive pronoun after it. Similarly make new sentences containing the disjunctive pronouns in all persons with these prepositions and with others.

4. Two or more pupils can act out the answers to the following questions, repeating the answers aloud as they move.

Jean est-il assis devant Jeanne? Est-elle assise derrière lui? Où Jean se place-t-il? Est-il debout devant elle? (Introduce a third pupil.) Qui se place devant eux? Où Louise se place-t-elle? Qui est debout devant eux? Sont-ils assis derrière elle (lui)? Sont-ils tous les trois devant moi?

Il est midi.
Qui le dit?
La souris.
Où est-elle?
Sous le lit.
Que fait-elle?
Des dentelles.
Pour qui?
Pour ces demoiselles.
Pour laquelle?
Pour la plus belle.

30. LE DUEL

Un lieutenant se brouille avec un de ses camarades, et va avec lui au Bois de Boulogne,[1] où de telles affaires ont lieu. Les témoins essaient encore le rôle de pacificateurs, mais les deux champions ne veulent rien entendre. Les efforts des témoins semblent au contraire les irriter davantage. Les épées sont déjà tirées, lorsqu'un ouvrier, que jusqu'alors personne n'avait remarqué, s'avance et s'adressant aux combattants, leur dit d'un ton piteux :

" Hélas, mes braves officiers, je suis un pauvre menuisier sans ouvrage et père de famille."

" Eh, l'ami, retirez-vous," dit l'un des témoins, " nous n'avons pas le temps de vous faire l'aumône[2] : vous voyez bien qu'on va se couper la gorge."[3]

" C'est pour cela même,[4] messieurs, que je viens vous demander la préférence."

" Quelle préférence ? "

" Celle de faire les cercueils de ces deux braves officiers.

[1] Bois de Boulogne, a famous park in Paris.
[2] faire l'aumône, *to give alms.*
[3] on va se couper la gorge, *we are about to cut each other's throats.*
[4] C'est pour cela même, *that is just why.*

Je suis un pauvre menuisier, père de famille, sans ouvrage."

A ces mots les deux lieutenants se regardent immobiles et indécis. Ils éclatent de rire, puis ils se serrent la main et s'embrassent amicalement.

Chacun des assistants donne ensuite une pièce de cent sous au pauvre menuisier, père de famille, sans ouvrage, et on termine le différend dans un restaurant.

Questionnaire

1. Avec qui se brouille un lieutenant? 2. Où va-t-il? 3. Pourquoi? 4. Quel rôle essaient les témoins? 5. Est-ce que les champions sont irrités? 6. Les épées étaient-elles déjà tirées? 7. Qui s'avance? 8. Comment leur parle-t-il? 9. Quel est le métier du pauvre homme? 10. A-t-il de l'ouvrage? 11. Est-il père de famille? 12. Que lui dit un des témoins? 13. Que va-t-on faire? 14. Que demande-t-il? 15. Quelle préférence demande-t-il? 16. Que veut-il faire? 17. Comment les lieutenants se regardent-ils? 18. Est-ce qu'ils se serrent la main? 19. Comment s'embrassent-ils? 20. Qu'est-ce qu'ils donnent au pauvre homme? 21. Où va-t-on terminer le différend?

Traduction

1. A lieutenant has a comrade. 2. He gets into a dispute with his friend. 3. They go to the Bois de Boulogne. 4. They have four witnesses. 5. They try the rôle of peace-makers. 6. Their efforts irritate the duellists. 7. The swords are drawn. 8. A workingman comes forward. 9. He addresses the

duellists. 10. He is a poor man. 11. He is a carpenter.

12. He has no work. 13. He asks for the first chance. 14. The two duellists are going to cut each other's throats. 15. He wants to make their coffins. 16. He is poor. 17. The lieutenants look at each other. 18. They are motionless. 19. Then they shake each other's hands. 20. They give the carpenter a hundred francs. 21. He is no longer poor. 22. The duellists end their difference in a restaurant. 23. They are good friends now.

Pratique de Grammaire

1. For oral or written practise: — I often get into a dispute with my chum. I irritate him, and he irritates me. In America we do not draw swords. We settle our differences amicably. In America we do not kiss as in France. The men shake hands amicably.

2. Practice on the Reflexive Verb. *Model*, l. 1, Un lieutenant **se brouille** avec un de ses camarades. Practice all the persons in the Present tense, Je me brouille avec un de mes camarades, etc. *Model*, l. 13, On va **se couper** la gorge. Practice the Present tense, Plural only, Nous allons nous couper la gorge, etc. *Model*, l. 21, Ils **se serrent** la main. Practice the Present tense, Plural only, Nous nous serrons la main, etc.

3. Practice similarly all the other reflexive verbs of the text in the tenses of the Indicative, positively and negatively: s'avancer, s'adresser, se regarder, s'embrasser, se retirer.

Voici la nuit
La lune luit,
Et sur la terre
Tout est mystère.

Défilé des Troupes Américaines.

Place de l'Étoile, Paris, Fête de la Victoire, 14 juillet, 1919.
"Un régiment passait dans la rue, drapeau déployé." — p. 81, l. 1.

31. LES DEUX TAMBOURS (I)

Un régiment passait dans la rue, drapeau déployé, et
quinze tambours battaient la marche à faire trembler [1]
les vitres de toutes les fenêtres. Une troupe de joyeux
enfants suivaient les militaires. Le petit Eugène les regardait passer du balcon, et dans la rue en face, son petit
ami Pierre les regardait, lui, de la boutique où son père
raccommodait de vieux souliers.

Tout ce mouvement, tout ce bruit charmèrent si fort
les deux petits garçons, qu'aussitôt le régiment passé,
chacun d'eux se jeta au cou de sa mère en s'écriant:

— Mère, je veux un tambour! Oh! je t'en prie, petite
mère, donne-moi un tambour!

— A l'instant même,[2] cher enfant, répondit la mère
d'Eugène. Et elle envoya la bonne acheter un tambour.

— Je n'en ai pas, mon enfant! répondit la mère de
Pierre, et je n'ai pas le moyen d'en acheter; tu le
sais, nous sommes si pauvres!

— Eh bien, reprit l'enfant, donne-moi ce vieux seau de
bois qui n'a plus ni fond ni anse, donne-moi aussi une
feuille de papier et une ficelle, et je vais me faire un
tambour.

— Prends! dit la mère.

Le petit Pierre sauta de joie et se mit [3] immédiatement
à l'œuvre. Il étendit la feuille de papier sur l'ouverture

---

[1] à faire trembler, *enough to make the windows rattle.* Notice
that the infinitive in French is placed right after its dependent verb,
before the object noun.

[2] A l'instant même, *this very instant.*

[3] se mettre à, *to begin.*

25 du seau, comme on fait pour couvrir un pot de confitures, et la fixa ensuite avec la ficelle. Avec une petite branche cassée en deux, il se fit des baguettes, et transporté de joie, il suspendit son tambour à son cou. (*à suivre.*)

Questionnaire

1. Qu'est-ce qui passe dans la rue? 2. Qui bat la marche? 3. Qui suit les militaires? 4. Où est Eugène quand il les regarde? 5. Où est Pierre? 6. Qu'est-ce qu'ils demandent à leurs mères? 7. Comment Eugène se procure-t-il un tambour? 8. Qu'est-ce que la mère de Pierre lui répond? 9. De quoi Pierre se fait-il un tambour? 10. Comment le fait-il?

Traduction

1. A troop of soldiers was passing in the street. 2. Their flag was unfurled and their drums were beating. 3. Two little boys were watching them pass. 4. One was on the balcony. 5. The other was in his father's old shoe-store. 6. The regiment has passed. 7. Pierre asked his mother for a drum. 8. But she had no drum. 9. She was very poor. 10. But Pierre took an old wooden pail without a bottom. 11. He stretched a piece of paper over the opening. 12. He fastened it with a string. 13. He also made himself two drumsticks. 14. And now he has a drum.

Pratique de Grammaire

1. *Models*, l. 1, **passait**; l. 2, **battaient**; l. 4, **suivaient**; l. 6, **regardait**; l. 7, **raccommodait**, all verbs in the Imperfect (Imparfait) Tense. Give all the other persons of these same verbs.

Give the Imperfect Tense of the other verbs found in the text by adding the endings **-ais, -ais, -ait, -ions, -iez, -aient** to the stem of the Present Participle.

2. *Models*, l. 14, elle envoy**a** (1st Conjugation); l. 13, il répond**it** (4th Conj.). Following these models, give the Preterite (Passé Défini) Third Singular of all the other verbs of the text.

3. *Models*, l. 15, Je n'**en** ai pas; l. 16, le moyen d'**en** acheter un. Note the Partitive pronoun **en**, *of them*. Insert **en** before the verb in the following sentences and translate them. Eugène a un tambour, Pierre — veut aussi un. Eugène a des baguettes, les tambours du régiment — ont aussi. Pierre prend du papier et il — couvre le seau. Pierre désire un tambour; il n'— achète pas, il — fait un lui-même.

L'Oraison Dominicale

Notre Père, qui êtes aux cieux, que votre nom soit sanctifié; que votre règne arrive; que votre volonté soit faite sur la terre comme au ciel; donnez-nous aujourd'hui notre pain quotidien; et pardonnez-nous nos offenses, comme nous pardonnons à ceux qui nous ont offensés; et ne nous laissez pas succomber à la tentation; mais délivrez-nous du mal. Ainsi soit-il.

32. LES DEUX TAMBOURS (II)

(suite)

A ce moment, Eugène, avec son tambour neuf, se montra au balcon et battit pour se faire entendre de Pierre. Mais celui-ci, encore plus heureux d'avoir fabriqué lui-même son jouet, dit d'en bas[1] à Eugène: "At-

[1] d'en bas, *from below;* d'en haut, *from above.*

5 tends, attends! tu vas m'entendre aussi!" Et le voilà[1] qui tapa sur son tambour.

Mais, ô malheur! dès le premier coup le papier creva, et le pauvre enfant, tout à l'heure[2] si joyeux, fondit maintenant en larmes.

10 "Oh! mère," dit Eugène, qui avait vu le malheur arrivé à son petit voisin, "permets que je lui porte le joli tambour que tu m'as donné!"

"Il t'appartient, mon enfant," répondit la mère, "fais ce que ton cœur te dira."

15 A peine cette permission accordée, Eugène descendit l'escalier, traversa la rue, et courant au petit Pierre: "Tiens, tiens!" lui dit-il, "prends mon tambour, prends-le, ne pleure plus, il est à toi,[3] je te le donne!"

Puis, ayant embrassé son jeune voisin de tout son 20 cœur, il remonta vite chez lui.

Alors Eugène n'avait plus de tambour, mais il entendit, il vit Pierre battre joyeusement toute la journée celui

[1] le voilà, *there he was.* Notice the position of the pronoun before voilà just as before verbs.

[2] tout à l'heure, *a little before.*

[3] il est à toi, *it is yours.* Possession in French is often expressed by être à.

qu'il lui avait donné ; et cela le rendit si heureux, que non seulement il ne regretta rien, mais encore qu'il sentit deux bonheurs à la fois,[1] le sien et celui de l'enfant qu'il avait consolé.

Questionnaire

1. Que fait Eugène de son tambour ?   2. Pourquoi le battait-il au balcon ?   3. Comment Pierre répondit-il ?   4. Où était Pierre ?   5. Quel malheur arrive à Pierre ?   6. Que fait Eugène ?   7. Quelle réponse sa mère lui fit-elle ?   8. Où court Eugène ?   9. Que dit-il à Pierre ?   10. Comment embrasse-t-il Pierre ?   11. Pierre en était-il heureux ?   12. Est-ce que le bon Eugène regretta son action ?   13. Pourquoi pas ?   14. Qu'auriez-vous fait à sa place ?   15. Partagez-vous quelquefois vos jouets avec vos amis ?

Traduction

1. Eugene now appears at the window.   2. He has his beautiful drum.   3. His mother has bought it.   4. He beats it hard enough to make the windows rattle.   5. Peter also begins to beat his drum.   6. He has made it himself.   7. Eugene hears it.   8. But the paper bursts.   9. Peter has no drum now.   10. He breaks forth into tears.   11. Eugene has seen the misfortune.   12. He runs up to Peter.   13. He carries the drum to him.   14. Don't cry any longer.   15. Take my drum; I give it to you.   16. And he runs back home quickly.   17. And he is happy, — twice happy.   18. He has consoled poor Peter.   19. He has done a good action.

---

[1] à la fois, *at the same time.*

Pratique de Grammaire

1. *Model*, l. 12, le tambour que tu **m'**as donné; l. 13, il **t'**appartient; l. 23, qu'il **lui** avait donné. According to these models insert the proper Indirect Object pronoun in the following sentences and translate them: J'ai vu le malheur qui — (to him) est arrivé. Le beau tambour ne — (to me) appartient plus; je le — (to him) ai donné. Qui est-ce qui — (to you) a donné ce jouet? Eugène — (to me) l'a présenté. Sa mère — (to him) accorde cette permission.

2. *Model*, l. 5, attend**s**: Imperative Second Singular. Pick out five more Second Singular Imperatives in this text. What is the ending of the Second Singular Imperative for all verbs except those of the First Conjugation?

3. Practice conversation on the illustration.

Devinette

Cinq voyelles, une consonne,
Voilà ce qui forme mon nom,
Et je porte sur ma personne
De quoi l'écrire sans crayon.
(Mot, — oiseau.)

33. L'EMPEREUR ET LE MINISTRE

Le cheval favori d'un empereur de Chine est mort par la négligence de l'écuyer. L'empereur, en colère, a voulu percer cet officier de son épée. Un mandarin,[1] qui était à ses côtés, a paré le coup en disant, "Seigneur, cet homme
5 n'est pas encore convaincu du crime pour lequel il doit mourir."

[1] **un mandarin,** *a mandarin,* a Chinese dignitary.

"Eh bien, expliquez-lui son crime," a répliqué l'empereur.

"Ecoute, scélérat," dit le ministre en s'adressant à l'écuyer, "écoute les crimes que tu as commis. D'abord tu as laissé mourir un cheval que ton maître avait confié à tes soins. Secondement, tu es cause que notre prince est entré dans une telle colère qu'il a voulu te tuer de sa main. Mais écoute un crime beaucoup plus grave encore. Tu es cause que le monarque a été sur le point de¹ se déshonorer aux yeux de tous les princes, en tuant un homme pour un cheval. Tu es coupable de tout cela, scélérat."

"Qu'on le laisse aller,² " dit l'empereur, "je lui pardonne son crime."

Questionnaire

1. Qu'est-ce qui est mort par négligence ? 2. Qui est en colère ? 3. Pourquoi l'empereur est-il en colère ? 4. Qui veut-il percer de son épée ? 5. Qui est aux côtés de l'empereur ? 6. De quoi le mandarin pare-t-il le coup ? 7. Que dit le mandarin à l'empereur ? 8. Qui n'est pas convaincu de son crime ? 9. Que dit l'empereur

---

¹ sur le point de, *about to*.
² qu'on le laisse aller, *let him go*.

au mandarin? 10. Quel crime l'écuyer a-t-il commis? 11. Qu'est-ce que l'empereur avait confié aux soins de l'écuyer? 12. Qui est entré en colère? 13. Qui est cause de la colère de l'empereur? 14. Qu'est-ce que l'empereur a voulu faire? 15. Quel autre crime l'écuyer a-t-il commis? 16. Qu'est-ce que l'empereur était sur le point de faire? 17. Pourquoi? 18. De combien de crimes l'écuyer est-il coupable? 19. Qu'est-ce que l'empereur répond à tout cela? 20. Est-ce qu'il a pardonné à l'écuyer?

Traduction

1. The emperor of China had a beautiful horse. 2. The horse was his favorite. 3. An equerry was careless. 4. The horse died through his negligence. 5. The emperor was in a fury. 6. He wanted to run the equerry through with his sword. 7. A mandarin parried the thrust. 8. The equerry was not yet convicted of his crime. 9. He must not die. 10. You do not explain his crime. 11. He is a scoundrel. 12. Listen to his crimes. 13. He let the horse die through his negligence. 14. Our master wanted to kill you. 15. He almost killed a man for a horse. 16. He was dishonored in the eyes of the princes. 17. The emperor is not furious now. 18. He pardons the man. 19. He has learned his lesson.

Pratique de Grammaire

1. The Past Indefinite (Passé Indéfini) is compounded of the Present tense of the auxiliary and the Past Participle. *Model* with être, l. 1, le cheval **est mort**; l. 12, le prince **est entré**.

Model with avoir, l. 10, tu **as laissé**; l. 12, il **a voulu**. Following these models conjugate through the Passé Indéfini the verbs of the text: parer, commettre, confier, être, aller, pardonner.

2. Practice conversation on the illustration.

Qui ne risque rien, n'a rien.
Nothing venture, nothing win!

34. LES MOTS ET LES CHOSES

Hier matin j'ai fait une visite à mon ami, le général Bouvier.

Je l'ai trouvé parcourant son appartement d'un air agité et froissant dans ses mains un écrit que j'ai pris pour une poésie.[1]

— Prenez, m'a-t-il dit, en me le présentant, et dites-moi votre avis.

J'ai parcouru le papier, et j'ai été fort étonné de voir que c'était une note de médicaments fournis.

— Mon ami, lui ai-je dit en lui rendant son papier, — les prix sont peut-être exagérés?

— Mais certes, m'a-t-il dit avec humeur,[2] cette note est épouvantable; au reste, vous allez voir mon écorcheur; je l'ai fait appeler, il va venir et vous me soutiendrez.

Il parlait encore quand la porte s'est ouverte; devant nous était un homme d'environ cinquante ans, vêtu avec soin mais tout en noir. Il avait la taille haute et la démarche grave; sa physionomie seule avait quelque chose de sardonique.

Il s'est approché de la cheminée et il s'est assis à l'invitation du général, qui lui a dit:

---

[1] poésie, f., *poetry*. [2] avec humeur, *angrily;* humeur does not here mean *humor.*

— Monsieur, la note que vous m'avez envoyée est un véritable compte d'apothicaire, et . . .

— Monsieur, dit l'homme noir, permettez-moi de vous dire que je ne suis point apothicaire.

— Comment dois-je vous appeler ?

— Monsieur, je suis pharmacien.

— Eh bien ! monsieur le pharmacien, votre garçon a dû vous dire . . .

— Monsieur le général, je n'ai point de garçon.

— Et que peut donc être ce jeune homme ?

— Monsieur, c'est un élève.

— Je voulais vous dire que vos drogues . . .

— Je ne vends point de drogues.

— Que vendez-vous donc, monsieur ?

— Nous fournissons des médicaments.

— Je dois vous dire que tous ces tours de boutique. . . .

— Monsieur le général, j'ai eu l'honneur de vous dire que j'ai une pharmacie : je ne tiens pas boutique.

Là finit la discussion. Le général, honteux d'être si peu au courant de la langue pharmaceutique, se trouble, oublie ce qu'il avait à dire et paye tout.

Questionnaire

1. Qui visitez-vous ? 2. Comment le trouvez-vous ? 3. Qu'est-ce qu'il montre ? 4. Le prix est-il exagéré ? 5. Qui entre ? 6. Comment cet homme est-il vêtu ? 7. Quel âge a-t-il ? 8. De quoi s'approche-t-il ? 9. Cet homme est-il apothicaire ? 10. Qu'est-ce qu'il est ? 11. A-t-il un garçon ? 12. Qu'est-ce qu'il a ? 13. Est-ce qu'il vend des drogues ? 14. Que vend-il ? 15. Est-ce qu'il tient

boutique? 16. Qu'est-ce qu'il tient? 17. Le général est-il au courant de la langue des pharmaciens? 18. Qu'est-ce que le général oublie? 19. Le général est-il honteux? 20. Est-ce qu'il paye?

Traduction

1. General Bouvier has received a bill from a druggist. 2. The druggist is a fleecer. 3. He has exaggerated the prices. 4. He is astonished. 5. He sends for the druggist. 6. The druggist is very grave and well dressed. 7. But he is very sardonic. 8. The general calls him a druggist. 9. But he is not a druggist. 10. He is a pharmacist. 11. He has no boy. 12. He has an apprentice. 13. He sells no drugs. 14. He furnishes medicines. 15. He keeps no store. 16. He has a pharmacy. 17. The general was ashamed. 18. He was not acquainted with pharmaceutical language. 19. He is worried. 20. He pays the bill.

Pratique de Grammaire

1. Note the examples of the Passé Indéfini, **j'ai fait, il m'a dit,** and give the Passé Indéfini of the following verbs of the text: First Person Singular of appeler, faire, parler; Third Person Singular of parcourir, voir, envoyer; First Person Plural of aller, venir, entrer; Second Plural Negatively of permettre, devoir, vouloir.

2. Reflexive verbs are conjugated with être. *Model*, l. 20, il s'**est** approché, il s'**est** assis. Similarly conjugate in full the Passé Indéfini of s'approcher, s'asseoir, se troubler.

3. *Model*, l. 27, je suis () pharmacien, *I am a pharmacist.* Note the omission of the Indefinite Article with nouns indicating profession, title, nationality, after verbs indicating what a per-

92 VOUS NE PRENEZ PAS ASSEZ D'EXERCICE

son is or becomes. In the same way, translate: He is not (an) apothecary. My friend is (a) general. He was (a) prince.

4. *Model*, l. 18, quelque chose **de** sardonique, *something mocking*. In the same way translate, Here is something frightful. He sent me something beautiful. Give me something good.

5. Apprendre par cœur: Au reste. Il va venir. Vous allez voir. Dites-moi votre avis. Hier matin. Je voulais vous dire. J'ai l'honneur. Je dois vous dire.

Chat vit rôt,
Rôt tenta chat,
Chat mit patte à rôt,
Rôt brûla patte à chat.

35. VOUS NE PRENEZ PAS ASSEZ D'EXERCICE

La scène se passe dans le cabinet d'un médecin renommé, mais un peu charlatan; un homme jeune encore entre d'un air fatigué et se laisse tomber sur une chaise.

5   Le Docteur (à part): Encore un anémique. (Tout haut, lui prenant la main.) Voyons votre langue!... Hum! 10 langue chargée! Et le pouls... faible, fébricitant. (Se levant d'un air d'importance.) Toujours la même histoire! On prétend vivre sans air frais; mais 15 est-ce possible? Mon ami, vous voyez la belle santé que j'ai? Eh bien, tout comme vous je pourrais prendre le

chemin du cimetière si je restais tout le jour assis dans
mon cabinet sans bouger. Il vous faut[1] de l'air frais;
il vous faut faire de longues promenades et vous fortifier
en restant dehors aussi longtemps que possible. Si je
vous faisais une longue ordonnance d'une demi-douzaine
de médecines, vous me trouveriez sans doute bien habile.
Non, non, ma seule ordonnance est de marcher, marcher
encore, marcher toujours.

Le Patient : Mais, monsieur le docteur. . . .

Le Docteur : C'est cela, discutez maintenant ! Vous
en savez plus[2] que moi. Je vous le répète, je vous conseille de faire de longues promenades, plusieurs fois par
jour.

Le Patient : Mais justement, docteur, je suis sur
pied. . . .

Le Docteur : Oui, oui, je le sais ; comme les autres,
vous marchez beaucoup. Eh bien, marchez dix fois plus.

Le Patient : Mais, monsieur le docteur, c'est ma profession de. . .

Le Docteur : Bien entendu ; la profession ne permet
pas, etc. Connu ! Prenez une autre profession qui vous
permette de prendre de l'exercice ; la santé avant tout.
corbleu ! Et . . . que faites-vous ?

Le Patient : Je suis facteur, attaché à la Grande
Poste.

Le Docteur (abasourdi) : Oh ! oh ! . . . Voyons, que
j'examine votre langue encore une fois !

[1] Il vous faut, *you need.*
[2] Vous en savez plus, *you know more about it.*

Questionnaire 1

1. Où se passe la scène ? 2. Comment dit-on en anglais "un charlatan" ? 3. Qui consulte le médecin ? 4. Que dit le docteur à part ? 5. Etes-vous anémique ? 6. Que montre le jeune homme au docteur ? 7. Votre langue est-elle chargée ? 8. Avez-vous le pouls faible ? 9. Faites-vous de longues promenades ? 10. Quelle est la seule ordonnance du médecin ? 11. Le jeune homme marche-t-il beaucoup ? 12. Quelle est sa profession ? 13. Un facteur marche-t-il beaucoup ou peu ? 14. Que dit le docteur ? 15. Marchez-vous beaucoup ? 16. Prenez-vous de l'exercice tous les jours ? 17. Où est la Grande Poste ? 18. Comment vous portez-vous ?

Traduction

1. A young man is sick. 2. He enters a doctor's office. 3. "Let's see your tongue," says the doctor. 4. His tongue is coated. 5. His pulse is weak. 6. He is anæmic. 7. He does not take long walks. 8. The doctor gives him this prescription. 9. Keep on walking. 10. But the young man walks a great deal. 11. He is a letter carrier. 12. The doctor is crestfallen. 13. He examines the man's tongue again.

Questionnaire 2

1. Nous faut-il beaucoup d'air frais pour dormir ? 2. Sommes-nous enfermés toute la journée ? 3. Les animaux sont-ils dehors tout le temps ? 4. Leur faut-il beaucoup d'air frais pour dormir ? 5. Etes-vous en bonne santé ? 6. Que fait-on pour se fortifier la santé ? 7. Nous faut-il des médecins si nous faisons de longues

promenades? 8. Où allez-vous faire de longues promenades? 9. Est-il possible de vivre sans air frais? 10. Qu'est-ce que vous me conseillez de faire pour me fortifier la santé? 11. Est-ce que votre profession vous permet de prendre beaucoup d'exercice? 12. Quel exercice prenez-vous?

Pratique de Grammaire

1. *Models*, l. 17, Si je **restais** tout le jour assis, je **pourrais** prendre; l. 21, Si je vous **faisais** une longue ordonnance, vous me **trouveriez** bien habile. Note that the Conditional cannot be used in French after **si** meaning *if;* instead of the Conditional the Imperfect must be used. In the same manner put either the Imperfect or the Conditional in place of the brackets in the following sentences: Si je ne (marcher) pas beaucoup, je n' (avoir) pas la belle santé que j'ai. Si ma profession le (permettre), je (prendre) plus d'exercice. Si vous n' (avoir) pas tant marché, vous ne (être) pas si fatigué. Si l'on (pouvoir) vivre sans air frais, il ne (falloir) pas faire de longues promenades.

2. Apprendre par cœur: C'est cela. Bien entendu. Voyons. Est-ce possible? Que faites-vous? Encore une fois. Je vous le répète. Je le sais. Je vous le conseille. Toujours la même histoire.

Gasconnade

Un Gascon,[1] chez un cardinal,
Exaltait sa Garonne[2] avec persévérance:
C'était un fleuve d'importance,
C'était un fleuve sans égal.

[1] Gascon, *a Gascon*, inhabitant of Gascogne, *Gascony*, a province of France, the inhabitants of which are famous braggarts, much given to hyperbole and exaggerated expression.

[2] La Garonne, a river of Southern France, flows through Gascony.

"A ce compte, monsieur," lui dit son Eminence,
"Le Tibre[1] près de lui ne serait qu'un ruisseau?"
"Le Tibre, monseigneur? sandis! belle merveille!
S'il osait se montrer au pied de mon château,
Je le ferais mettre en bouteille."

36. CE QU'ON GAGNE EN SE LEVANT MATIN

Un jeune prince de Perse aimait à se lever tard. Le premier vizir trouvait cela un très grand défaut.

"Craignez la paresse," disait-il à son élève; "craignez, seigneur, un vice aussi dangereux qu'il est difficile à vaincre. Ce qu'on donne de trop au sommeil, est perdu pour les affaires et même pour les plaisirs. La vie est déjà trop courte. Dormir, ce n'est pas vivre."

Malheureusement, des remontrances si sages ne produisaient aucun effet. Pour faire lever le prince de Perse, le premier vizir venait tous les matins l'arracher de son lit. Cette persécution déplaisait beaucoup au jeune prince. Il dit à quelques-uns de ses amis de se mettre en embuscade dans une petite cour que le vizir traversait le matin, de l'attendre là bien déguisés et de lui voler tout.

Tout cela est bien exécuté. Le lendemain à la pointe du jour,[2] le vizir a été si bien dévalisé qu'il arrive chez son élève presque nu. Il éveille le prince; il demande pardon de son désordre; il conte son malheur.

"Eh bien, vizir," lui dit en riant le jeune prince, "me prêchez-vous encore la vigilance? Voilà ce que vous avez gagné en vous levant si matin!"

[1] Le Tibre, *the Tiber*, the river of Italy on which Rome is situated.
[2] à la pointe du jour, *at daybreak*.

CE QU'ON GAGNE EN SE LEVANT MATIN

"Seigneur," répond le vizir, "les voleurs m'ont pris ma robe et mon turban, une ceinture assez riche, une bourse de cent pièces d'or, et un très beau diamant que le roi m'avait donné. Voilà ce qu'ils ont gagné à se lever plus matin que moi."

Questionnaire

1. Qui aimait à se lever tard? 2. Est-ce un grand défaut? 3. Est-ce un vice dangereux? 4. Est-ce que la vie est courte? 5. Est-ce que le prince se lève toujours tard? 6. Pourquoi le vizir vient-il tous les matins chez le prince? 7. Cette persécution déplaît-elle au prince? 8. Qu'est-ce qu'il dit à ses amis? 9. Comment le vizir a-t-il été dévalisé? 10. Comment le vizir arrive-t-il chez le prince? 11. Qu'est-ce que le vizir a gagné en se levant matin? 12. Mais qu'est-ce que les voleurs ont gagné en se levant plus matin? 13. Vous levez-vous matin? 14. Etes-vous paresseux? 15. Qu'est-ce qu'on gagne en se levant matin? 16. Avez-vous jamais gagné quelque chose en vous levant matin?

Traduction

1. The Prince of Persia did not like to get up early. 2. Idleness is a vice. 3. Idleness is difficult to overcome. 4. Life is short. 5. Sleeping is not living. 6. The vizier drags the young man from his bed every morning. 7. My mother drags me out of bed every morning. 8. His friends wait in ambush for the vizier. 9. His friends are disguised. 10. The vizier is neatly robbed. 11. He is almost naked. 12. This is what he has gained. 13. The robbers

took his money and his diamonds. 14. That is what they have gained. 15. They were earlier than the vizier. 16. Get up early. 17. Fear idleness.

Pratique de Grammaire

1. Give the entire Imperfect Tense (Imparfait) of the verbs produisaient, 1. 9 ; venait, 1. 10; déplaisait, 1. 11; disait, 1. 3.

2. Give the Conditional (Conditionnel) of the same verbs. Remember that the endings are the same as those of the Imperfect, but that the stem is different.

3. Trouvez dans le texte le contraire des mots suivants : ordre, bonheur, habillé, facile, long, heureusement, plaire, perdre.

4. *A donner comme dictée :* J'aime à me lever tard. Je lève toujours tard. J'aime tellement le plaisir de me sentir dans un bon lit. J'ai tellement sommeil le matin qu'il est presque impossible de m'éveiller. Ma mère trouve que la paresse est un grand vice. Elle se lève très matin. Elle vient quelquefois à ma chambre et elle m'arrache de mon lit. Cela ne me plaît pas beaucoup. Mais il est si difficile de me faire lever. Alors je me lave les mains et la figure, je m'habille et je me mets à travailler.

5. Que les élèves posent des questions sur cette dictée-ci.

A qui se lève matin, Dieu prête la main !
The early bird catches the worm !

37. ARISTOCRATIE

Un Anglais de bonne famille passait une année en Amérique. Au dîner d'adieu qu'un Américain, un de ses amis, lui donnait avant son départ pour l'Europe, la conversation roulait sur l'Amérique et ses habitants :

— Quelle est votre impression de notre peuple, en général ? demande l'Américain.

— Ma foi, je l'aime beaucoup ; mais il me semble qu'il vous manque quelque chose. J'en suis sûr même.

— Qu'est-ce que c'est donc ?

— Je puis bien vous le dire ; vous n'avez pas d'aristocratie comme nous, et cela vous fait bien défaut dans la société.

— Mais comment définissez-vous l'aristocratie ? dit l'Américain.

— Que me demandez-vous là ? réplique le noble Anglais.
— Vous savez bien ce que c'est ; l'aristocratie . . . c'est . . . c'est l'aristocratie ; . . . des gens, vous savez, qui ne font rien, dont les pères n'ont rien fait ; des gens, vous savez, qui peuvent voyager sans être tenus par leurs affaires, et qui n'ont pas de boutiques ou de magasins à surveiller, qui ne travaillent pas, enfin, vous savez.

— Ah ! c'est cela ? réplique le New-Yorkais. — Eh bien, je vous assure que nous avons beaucoup de ces gens-là ; seulement ici on les appelle des vagabonds.

Questionnaire

1. Où l'Anglais passait-il l'année ? 2. Que lui donnait un de ses amis ? 3. Sur quoi roulait la conversation ? 4. Est-ce que l'Anglais aimait l'Amérique ? 5. Qu'est-ce qu'il lui manquait ? 6. Qu'est-ce que les Américains n'ont pas ? 7. Comment définissez-vous l'aristocratie ? 8. Est-ce que les aristocrates travaillent ? 9. Ont-ils des affaires ? 10. Ont-ils des boutiques ? 11. Est-ce que l'Amérique a de ces gens-là ? 12. Comment les appelle-t-on ?

13. Aimez-vous l'Amérique? 14. Etes-vous New-Yorkais? 15. Travaillez-vous ou ne faites-vous rien? 16. Etes-vous aristocrate ou vagabond? 17. Y a-t-il beaucoup de vagabonds en Amérique?

Traduction

1. There was an Englishman of good family. 2. He had passed a year in America. 3. An American gave him a farewell dinner. 4. He asked him what his impression of America was. 5. The Englishman liked America. 6. But he found that one thing was lacking. 7. We Americans have no aristocracy. 8. The aristocrats are people who do not work. 9. Their fathers have not done anything. 10. They have no business. 11. The American answered that we have these people too. 12. But here we call them tramps. 13. We have many tramps here. 14. But we also have aristocrats. 15. The people who work are the aristocrats here.

Pratique de Grammaire

1. Apprendre par cœur : — Un de mes amis. Avant son départ. Ma foi. Je l'aime beaucoup. Il me semble. Il vous (me, lui, nous) manque quelque chose. J'en suis sûr. Comme vous. En général. Qu'est-ce que c'est donc? Vous savez bien ce que c'est. C'est cela. Je vous assure. Que me demandez-vous?

2. A écrire en français de petites compositions sur (1) l'aristocrate anglais, (2) le vagabond américain, (3) votre impression des Américains.

3. Que l'élève pose dix questions en français sur le texte.

M. Calino, qui a un rhume assez opiniâtre, est allé consulter son médecin.

"Est-ce que votre père était phtisique?"

"Non, monsieur," répond M. Calino, rassurant, "il était . . . photographe."

38. LE SOLEIL DE LA BRETAGNE

—La mer m'attend; je veux partir demain.
Sœur, laisse-moi, j'ai vingt ans, je suis homme,
Je suis Breton et je suis gentilhomme;
Sur l'océan je ferai mon chemin.
    —Mais si tu pars, mon frère,   5
    Que ferai-je sur terre?
    Toute ma vie à moi
    Tu sais bien que c'est toi.
Ah! ne va pas loin de notre berceau!
Reste avec moi, ta sœur et ta compagne: 10
Mon frère, on vit heureux dans la montagne.
    Et puis de la Bretagne
    Le soleil est si beau!

—Sur un vaisseau qui portera ton nom,
Je reviendrai dans trois ans capitaine;   15

J'achèterai ce bois, ce beau domaine,
Et nous serons les seigneurs du canton.
    — Mais n'as-tu pas, dit-elle,
    Notre pauvre tourelle,
20   Pour trésor le bonheur,
    Pour t'aimer tout mon cœur ?
Ah ! ne va pas loin de notre berceau !
Reste avec moi, ta sœur et ta compagne ;
Mon frère, on vit heureux dans la montagne.
25   Et puis de la Bretagne
    Le soleil est si beau !

Mais il partit quand la foudre grondait.
Dix ans passés . . . de lui point de nouvelle !
Près du foyer sa compagne fidèle
30 Pleurait toujours, et toujours attendait.
    Un jour à la tourelle
    Un naufragé l'appelle,
    Lui demande un abri :
    — C'est lui, mon Dieu, c'est lui !
35 — Oui, sœur, c'est moi ; je reviens au berceau.
J'ai tant souffert loin de toi, ma compagne ;
Mais je l'oublie en voyant ma montagne.
    O ma chère Bretagne,
    Que ton soleil est beau !

Questionnaire

1. Quel âge a le jeune Breton ?   2. Qu'est-ce qui l'attend ?   3. Quand veut-il partir ?   4. Où fera-t-il son chemin ?   5. A-t-il une sœur ?   6. Aime-t-elle son frère ?   7. Que lui dit sa sœur ?   8. Est-ce

Bateau Breton Partant pour Islande.
"La mer m'attend ; je veux partir demain."—p. 101, l. 1.

qu'il reste en Bretagne ? 9. Où le soleil est-il beau ?
10. Comment reviendra-t-il ? 11. Qu'est-ce qu'il
achètera ? 12. Qu'est-ce qu'il a pour domaine ?
13. Qu'est-ce qu'il a pour trésor ? 14. Avec qui doit-
il rester ? 15. Où le soleil est-il beau ?

16. Est-ce que le jeune homme partit ? 17. Combien
d'années sont passées ? 18. Est-ce qu'on a de ses
nouvelles ? 19. Qui l'attend toujours ? 20. Où
reste-t-elle ? 21. Qui l'appelle un jour de la tourelle ?
22. Que lui demande le naufragé ? 23. Qui est le
naufragé ? 24. A-t-il souffert ? 25. La Bretagne lui
est-elle chère ?

Traduction

1. Brittany is in France. 2. The Breton loves the sea.
3. He is twenty years old. 4. He wants to leave
Brittany. 5. He does not stay with his sister. 6. The
young man and his sister are happy in Brittany. 7. The
sun is beautiful in Brittany. 8. He will come back a
captain. 9. His sister loves him with all her heart.
10. But he goes far away from Brittany. 11. Ten
years pass by. 12. There is no news. 13. His
sister is ever waiting for him. 14. A shipwrecked
man is calling her. It is her brother. 15. He is
returning to Brittany. 16. He has not forgotten his
Brittany. 17. And the sun is so beautiful in Brittany.

Pratique de Grammaire

1. Imperative Second Singular. *Model*, l. 2, laisse-moi;
l. 10, reste avec moi; l. 9, ne **va** pas. Note that in verbs of the
First Conjugation the Imperative Second Singular is the same

in form as the Present Indicative Second Singular, omitting the final **s** and the pronoun. Give the Imperative Second Singular of pleurer, gronder, oublier, porter, aimer, demander.

2. Give these same verbs in the Negative form of the Imperative.

3. Future. *Model*, l. 4, je fer**ai**; l. 14, qui porter**a**; l. 15, je reviendr**ai**; l. 16, j'achèter**ai**; l. 17, nous ser**ons**. Give the entire Future of these verbs.

4. Give the Future First Singular of the verbs of the first stanza, the Future Third Singular of the verbs of the second stanza, and the Future Third Plural of the verbs of the third stanza.

5. *Model*, l. 2, Je suis homme, *I am* **a** *man;* l. 3, Je suis Breton, *I am* **a** *Breton*. The Indefinite Article is omitted in French before a name of title, profession, nationality, after a verb indicating what a person is or becomes. Following the model and the rule, translate: He is an American. She is a milliner. Is your father a doctor? My sister will be a musician. Her brother will become a captain. (See page 91.)

6. Apprendre par cœur une stance du poème.

— Il prétend être descendu d'une famille illustre.

— Oui et il descend toujours.

39. LA BIENFAISANCE ET LA RECONNAISSANCE

Un jour le bon Dieu eut l'idée de donner une fête dans son palais d'azur.

Toutes les vertus furent invitées, les vertus seules. Les messieurs ne furent pas conviés : rien que des dames.

5 Il y avait beaucoup de vertus, de grandes et de petites. Les petites vertus étaient plus agréables et plus familières que les grandes, mais toutes se montraient très con-

LA BIENFAISANCE ET LA RECONNAISSANCE 105

tentes et conversaient poliment entre elles, comme entre personnes intimes et même parentes.

Mais le bon Dieu remarqua deux belles dames qui semblaient ne pas se connaître. Le maître de la maison prit une de ces dames par la main et la mena vers l'autre.

"La Bienfaisance," dit-il en présentant la première.

"La Reconnaissance," ajouta-t-il en montrant l'autre.

Les deux vertus se regardèrent curieusement et étonnées. Depuis que le monde est monde, elles se rencontraient pour la première fois.

TOURGUÉNEFF, "Petits Poèmes en Prose."

Questionnaire

1. Quelle idée eut le bon Dieu? 2. Qui fut invité? 3. Y avait-il des messieurs? 4. Combien de vertus y vinrent? 5. Comment se montraient les petites vertus? 6. Qu'est-ce que le bon Dieu remarqua? 7. Que fit-il? 8. Qui étaient ces deux belles dames? 9. Comment se regardèrent les deux vertus? 10. Pourquoi étaient-elles si étonnées? 11. Quelle est la morale de cette anecdote? 12. Etes-vous reconnaissant?

Traduction

1. God one day gave a feast in his azure palace. 2. But only the virtues were invited. 3. The virtues are ladies. 4. The men are not virtues, and were not invited. 5. All the virtues showed themselves kind. 6. They were all related and intimate. 7. But two fair ladies did not seem to be acquainted. 8. God noticed them. 9. He took them by the hand.

10. Then he led one towards the other. 11. But Gratitude seemed not to know Kindness. 12. He introduced them. 13. They met each other for the first time. 14. They were astonished.

Pratique de Grammaire

1. Practice the Passé Défini (Preterite) of avoir, *model*, l. 1, **il eut**; of être negatively, *model*, l. 4, **ils ne furent pas**; of remarquer, *model*, l. 10, **il remarqua**; of prendre, *model*, l. 12, **il prit**.

2. Practice the Reflexive Verbs (verbes réfléchis). The Passé Défini (Preterite) of **se regarder**, l. 15; the Imparfait (Imperfect) of **se rencontrer**, l. 16; all the tenses of **se montrer**, l. 7.

3. Give the nouns derived from the verbs converser, présenter, inviter.

4. Give the verbs from which the nouns reconnaissance and bienfaisance are derived.

5. Mettre dans des phrases le contraire de ces mots qui se trouvent dans le texte : seul, beaucoup, agréable, content, belle, poliment, se montrer, la vertu.

> Mieux vaut tard que jamais !
> *Better late than never!*

40. UN MARCHÉ

Un vieil avare fait venir un médecin pour voir sa femme très malade. Le médecin, qui connaît son homme, demande qu'on arrange d'abord ses honoraires.

— Soit![1] dit l'avare ; je vous donnerai 200 francs, 5 que[2] vous tuiez ma femme ou que vous la guérissiez.

---
[1] Soit! *all right.*
[2] que .... que, *whether ... or,* followed by subjunctive.

Le médecin accepte; mais, malgré ses soins, la femme meurt. Quelque temps après, il vient réclamer son argent.

— Quel argent? dit l'avare; avez-vous guéri ma femme?

— Non, je ne l'ai pas guérie.

— Alors, vous l'avez tuée?

— Tuée? Oh! quelle horreur! Vous savez bien que non.

— Eh bien, puisque vous ne l'avez ni guérie ni tuée, que demandez-vous?

Questionnaire

1. Qui a une femme? 2. Qui est malade? 3. Qui est-ce que l'avare fait venir? 4. Qu'est-ce que le médecin demande? 5. Combien d'argent l'avare donnera-t-il? 6. Quelles sont les conditions? 7. Est-ce que le médecin accepte? 8. Est-ce que la femme meurt? 9. Qu'est-ce que le médecin vient réclamer? 10. Le médecin a-t-il guéri la femme? 11. Le médecin a-t-il tué la femme? 12. Est-ce que le médecin reçoit l'argent? 13. Etes-vous avare? 14. Avez-vous beaucoup d'argent? 15. Etes-vous médecin?

Traduction

1. An old miser has a wife. 2. His wife is very sick. 3. He calls a doctor. 4. The doctor knows the miser. 5. He arranges his fee first. 6. The miser will give the doctor 200 francs. 7. If he kills the woman, the miser will give 200 francs. 8. If he cures the woman, the miser will give 200 francs.

9. The woman dies.   10. The doctor comes for his money.   11. He did not cure the miser's wife.   12. He did not kill the miser's wife.   13. He has neither killed nor cured the miser's wife.   14. The miser will not give him the money.

Pratique de Grammaire

1. Notez l'accord du participe passé avec le régime direct qui précède le verbe. *Modèle*, l. 9, Avez-vous guéri ma femme? Je ne l'ai pas guérie. l. 12, Vous l'avez tuée. De la même façon, ajoutez la terminaison convenable aux participes passés suivants: Les honoraires qu'ils avaient arrangé-. Les soins qu'il lui a donné-. La femme est morte, je ne l'ai pas connu-. C'était un marché; le médecin l'a accepté-. Voici les terminaisons que vous nous avez demandé-.

> Apprends, tu sauras.
> Si tu sais, tu pourras.
> Si tu peux, tu voudras.
> Si tu veux, bien auras.
> Si bien as, bien feras.
> Si bien fais, Dieu verras.
> Si Dieu vois, sain seras
>   A tout jamais.

41. L'AIR ALLEMAND

C'était sous le gouvernement de Napoléon 1ᵉʳ.[1] Humboldt[2] et Gay-Lussac[2] faisaient à Paris leurs expériences pour la construction des baromètres: ils avaient besoin de tubes en verre. A ce temps-là cette industrie était

[1] Napoléon Bonaparte, first Emperor of France, 1804–1815.
[2] Humboldt et Gay-Lussac, famous scientists of Napoleon's time.

peu avancée, et on n'en fabriquait qu'en petite quantité, et en Allemagne seulement. Or la douane allemande en interdisait l'exportation.

— Essayons un moyen, dit Humbolt. Et il envoya au fabricant allemand l'ordre de lui expédier une douzaine de tubes bien fermés et cachetés à chaque bout, et portant cette étiquette: AIR ALLEMAND.

Les tubes arrivèrent à la frontière. L'inspecteur de douane examina l'envoi, il consulta. Après avoir bien réfléchi: — L'air, se dit-il, n'est pas dans la liste des articles prohibés. Laissez passer!

C'est ainsi que les précieux tubes arrivèrent à Paris, sans même avoir payé de droit.

Questionnaire

1. Qui faisait ces expériences? 2. De quoi avaient-ils besoin? 3. Est-ce qu'on fabriquait alors en France des tubes en verre? 4. A qui Humboldt envoie-t-il l'ordre? 5. Combien de tubes demande-t-il? 6. Quelle étiquette porte l'envoi? 7. Où arrivent les tubes? 8. Qui examine l'envoi? 9. Est-ce que les tubes arrivent à Paris? 10. Est-ce qu'on a payé des droits?

Traduction

1. Gay-Lussac and Humboldt are scientists. 2. Humboldt is German. 3. But they are not in Germany. 4. They are in France. 5. They are in Paris. 6. They are making experiments. 7. They make barometers. 8. Glass tubes are made in Germany. 9. They have no glass tubes. 10. They need glass tubes. 11. The exportation of glass tubes is pro-

hibited in Germany. 12. They close the tubes at each end. 13. They are sealed and labeled. 14. The label "German Air" is on the order. 15. German air is not prohibited. 16. The inspector allows the tubes to pass. 17. They have not paid any duty. 18. Prohibited articles are very precious.

Pratique de Grammaire

1. *Modèle*, l. 4, à ce temps-là, cette industrie était peu avancée, *at that time, that industry was but slightly advanced.* Note the use of ce, masc. sing., and of cette, fem. sing. Cet is used before a vowel or an *h* mute in the masc. sing. Insert properly ce, cet, or cette in place of the dashes in the following sentences: Ils trouvent — moyen bon. — quantité est bien petite. Ils envoyèrent — ordre. Les tubes portaient — étiquette. — tube n'est pas cacheté à — bout. — air n'est pas dans — liste. — article n'est pas prohibé.

The Demonstrative Adjective for all plurals is ces, *these, those.* Make the above sentences plural.

2. *Modèle*, l. 3, **Ils avaient besoin de** tubes, *they needed* tubes. Similarly use this idiom in translating: I need experience. The customs officer needed the list. The German manufacturer will need a dozen tubes. The government needed that industry. What do you need? Don't you need those articles any more? No, I do not need them.

3. *Modèle*, l. 4, le tube **en** verre, *the glass tube.* Using this model, say in French: a gold watch, a silver chain, a steel pen, a copper wire.

> Aimez frère et sœur,
> Aimez, servez Dieu
> De tout votre cœur.
> Vous serez heureux.

42. L'IMPERTINENT HUMILIÉ

— En revenant de Toulouse, dit un voyageur, je passai par Carcassonne, où je m'arrêtai quelques heures.

J'attendais le dîner dans un hôtel où étaient assemblés plusieurs voyageurs. Un jeune homme, arrivant de Paris par l'express, entra dans la salle, vêtu du costume le plus élégant et le plus nouveau. Il ne salua personne, se regarda dans la glace, regardant de la tête aux pieds tous les assistants.

Un monsieur, très simplement mis, lisait dans un coin, et n'avait pas levé les yeux sur le jeune élégant. Celui-ci, piqué sans doute de cette indifférence, s'approcha du liseur, le salua légèrement, et lui dit:

— Monsieur lit?

— Comme vous le voyez, lui dit froidement l'inconnu.

— Oserais-je vous demander quel livre?

— Des comédies.

— Et quelle est la pièce qui nous prive ainsi de votre conversation?

— "Le Curieux Impertinent," lui répondit le liseur, avec un sourire méprisant.

Le questionneur comprit parfaitement le sens de cette réponse; il rougit, et dit en balbutiant légèrement:
— Oserais-je demander le nom de celui qui me répond sur ce ton de persiflage?

—C'est le Vicomte de Tournon, capitaine au 3me hussards. Vous devez connaître ce nom-là: monsieur Guillaume, votre père, est souvent venu chez moi pour m'apporter des étoffes.

Tous ceux qui étaient dans la salle éclatèrent de rire.[1] Monsieur Guillaume, fils, pâlit, et sortit honteux et confus.

Questionnaire

1. Par où passa le voyageur? 2. Où attendait-il le dîner? 3. Qui était déjà à l'hôtel? 4. Où entre le jeune homme? 5. Comment le jeune homme était-il vêtu? 6. Qui salue-t-il? 7. Où se regarde-t-il? 8. Comment regarde-t-il tous les assistants? 9. Qui lisait? 10. Où était-il? 11. Avait-il levé les yeux sur le jeune homme? 12. De quoi le jeune homme était-il piqué? 13. Comment le salue-t-il? 14. Que lui dit-il?

15. Que lui répond l'inconnu? 16. Comment lui répond l'inconnu? 17. Quel livre le monsieur lit-il? 18. Quelle est la pièce qu'il lisait? 19. N'est-il pas impertinent? 20. Que comprit le questionneur? 21. Rougit-il? 22. Quel était le nom du liseur? 23. Où était-il capitaine? 24. Qui est souvent venu chez le vicomte? 25. Quel est le nom du père du jeune homme? 26. Qu'a-t-il apporté au capitaine?

---

[1] éclatèrent de rire, *burst out laughing.*

La Cité de Carcassonne.

Beaux remparts du moyen âge. "Je passai par Carcassonne." — p. 111, l. 1.

27. Qui éclate de rire? 28. Qui pâlit? 29. Comment sort-il?

Traduction

1. A man was passing through Carcassonne. 2. He stopped at a hotel. 3. Several travelers were gathered in the hotel. 4. A young man enters the room. 5. He is a fop. 6. There is a mirror in the room. 7. He looks at himself. 8. He looks at all those present. 9. They look at him. 10. A gentleman is reading in a corner. 11. He is dressed simply. 12. He does not look at the young man. 13. The dandy is irritated. 14. He asks the man what book he is reading. 15. He is reading "The Impertinent Busybody." 16. He is also impertinent. 17. The gentleman is a captain. 18. The dandy's father often came to bring him goods. 19. The questioner grew red in the face. 20. He was ashamed.

Pratique de Grammaire

1. *Modèle*, l. 15, **quel** livre; l. 17, **quelle** pièce. Note the use of the Interrogative Adjective Singular, **quel** for the masculine, **quelle** for the feminine. Put either **quel** or **quelle** correctly in place of the dashes in the following sentences: — est ce jeune élégant? — est l'inconnu qui me regarde? — est la comédie que vous lisez? — est cette étoffe qu'il m'apporte? Avec — sourire lui répond-il?

To form the plural of these interrogative adjectives add **s** to the singular form, **quels**, m., **quelles**, f. Make all the above sentences plural.

2. From a study of the text, what preposition is required after the following verbs: vêtir —, s'approcher —, entrer —, piquer —, priver —.

3. Note the superlative adjectives, l. 6, **le plus élégant**; l. 6, **le plus nouveau**. Similarly give the superlative forms of the adjectives: simple, impertinent, curieux, honteux, confus, rouge, pâle.

4. Note how the adverb is formed from the adjective feminine singular, l. 14, froid**ement**; l. 22, légèr**ement**; l. 9, sim**plement**. Similarly form adverbs from the adjectives: parfait, nouveau, chaud, curieux, seul.

5. *Modèle*, l. 3, **J'attendais** le dîner, *I was waiting for dinner*. Note that there is no preposition used with **attendre** in French although *for* is used in English. Similarly translate: He is waiting for glass tubes. For whom are you waiting? I am waiting for you. She will not wait for me. Don't wait for any one! Compare l. 7, **regardant** tous les assistants. The preposition is not used with **regarder**, although *to look at* is used in English. Replace the verb **attendre** by the verb **regarder** in the preceding sentences, and translate them.

L'habit ne fait pas le moine!
Clothes do not make the man.

43. PARTAGEZ AVEC LE PEUPLE

C'était aux premiers jours de la Commune[1] à Paris; une bande de socialistes armés, à la mine farouche,[2] envahit les bureaux de la banque de M. de Rothschild. Le chef de la bande s'adressant à M. de Rothschild d'un
5 ton péremptoire:

—Citoyen, dit-il, tu es énormément riche et nous

---

[1] la Commune, a revolutionary outbreak in Paris after the Franco-Prussian war in 1871.

[2] à la mine farouche, *with wild faces.*

sommes pauvres ; cela est injuste ! Il faut que tu partages avec le peuple.

— Avec le peuple ? soit ! dit le banquier, en apparence fort peu ému. — A combien évaluez-vous ma fortune à moi ?

— A cent millions au moins.

— A la bonne heure ; ce sera donc cent millions que j'aurai à partager avec le peuple, c'est-à-dire avec trente-sept millions d'individus. Cela fera 2 francs 50 centimes environ pour chacun. — Approchez, mes amis, continua-t-il, — approchez ! Et il compta à chaque révolutionnaire présent les 2 francs 50 centimes qui lui revenaient.

La bande se retira d'un air confus et l'oreille basse[1] ; et, depuis ce temps, personne ne songea plus à molester le richissime banquier.

Questionnaire

1. Où se passe notre histoire ? 2. De quoi la bande était-elle composée ? 3. Quelle mine avaient-ils ? 4. Qu'est-ce qu'ils envahirent ? 5. Qui était M. de Rothschild ? 6. Que lui demande le chef de la bande ? 7. Qu'est-ce qui est injuste ? 8. Avec qui faut-il partager ? 9. A combien évalue-t-on sa fortune ? 10. Avec combien d'individus doit-il partager sa fortune ? 11. Combien donne-t-il à chacun ? 12. Comment se retira la bande ? 13. Exprimez d'une autre façon "richissime banquier." 14. Qui est le banquier le plus riche de l'Amérique ? 15. A combien évalue-t-on sa fortune ? 16. Quelle est la population des Etats-Unis ? 17. Combien aurait chacun de nous, s'il partageait avec nous ?

[1] l'oreille basse, *crestfallen, hanging their heads.*

Traduction

1. There was a band of armed socialists in Paris.
2. It was at the time of the Commune. 3. The band invaded Mr. Rothschild's bank. 4. Mr. Rothschild was a very rich banker. 5. The chief of the band addressed Mr. Rothschild. 6. Mr. Rothschild was a citizen. 7. I am not a citizen. 8. I am a boy. 9. Mr. Rothschild was enormously rich. 10. The socialists were poor. 11. You have 100 million francs. 12. Share with the people. 13. Well and good, there are 37 million individuals. 14. I shall give to each one $2\frac{1}{2}$ francs. 15. He counts them out to each one present. 16. The band was confused. 17. It retired. 18. It no longer molested the banker.

Pratique de Grammaire

1. *Modèle*, l. 16, **Approchez**! Impératif (*Imperative*). Mettez à l'impératif les phrases suivantes! (Turn the following sentences into the Imperative.) Il continue à parler. Il compte les francs. Elle se retire. Il ne songe plus à le molester. Il s'adresse au banquier. Il est riche. Il partage avec le peuple. Il le dit au banquier.

2. *Modèle*, l. 7, **Il faut que tu partages** avec le peuple. Notez l'emploi du Subjonctif après **il faut**. Commencez les phrases suivantes par l'expression **il faut que** et changez le verbe qui suit au subjonctif présent. (Begin the following sentences with **il faut que** and use the present subjunctive in the verb that follows it.) Le chef s'adressera au banquier. Vous nous donnerez notre part. Nous compterons l'argent. La bande se retira. Personne ne songe plus à le molester. Nous ne vous molestons plus.

DÉFILÉ DE TROUPES FRANÇAISES.

Devant la statue de Washington, Place des États-Unis, Paris, Fête de la Victoire, 14 juillet, 1919.
"C'était . . . à Paris." — p. 114, l. 1.

3. *Modèle*, l. 20, **songea**. Verbs in *-ger* insert *e* before *a* or *o* of the ending. Give the entire Present, Imperfect, and Past Definite of the verbs *songer* and *partager*.

4. *Modèle*, l. 10, ma fortune **à moi**. Note the use of disjunctive pronoun for emphasis and continue through all the persons, ta fortune **à toi**, etc.

5. Apprenez par cœur: au moins, à la bonne heure, c'est-à-dire, soit.

Pas de nouvelles, bonnes nouvelles!
No news is good news.

44. INVENTION À L'ÉPREUVE

Le général Grant était au quartier-général occupé à faire son rapport sur la bataille de Châtanooga. Un aide de camp entre:

— Général, lui dit-il, cet homme recommandé par le sénateur N. . . . est ici encore une fois pour vous montrer sa cuirasse perfectionnée et . . .

— Encore lui! dit le général d'un ton impatienté Eh bien, faites-le entrer!

L'inventeur se présente et commence:

— Général, j'ai beaucoup amélioré ma cuirasse depuis que vous l'avez vue: tout soldat qui la portera n'aura rien à craindre d'une balle de fusil ordinaire.

— Avez-vous votre machine ici? dit le général.

— La voici. Et l'inventeur défait un paquet enveloppé de journaux, et montre une cuirasse resplendissante en acier poli.

— Vous êtes sûr, reprend le général, qu'elle est à l'épreuve de la balle?[1]

---
[1] à l'épreuve de la balle, *bullet-proof.*

— Parfaitement sûr.

— Nous allons bien voir. Endossez-la ; ajustez-la bien sur vous . . . C'est fait ? Mettez-vous là près de cette fenêtre. Puis se tournant vers l'aide de camp : — Capitaine, continue-t-il, il y a à la porte un factionnaire avec son fusil chargé ; allez le chercher. Qu'il monte[1] sur-le-champ ; nous ferons l'épreuve de la cuirasse sur place.

L'aide de camp sort ; mais en même temps l'inventeur conçoit quelques doutes sur l'impénétrabilité de sa cuirasse. Poussant un cri de frayeur, il saute par la fenêtre, se sauve à toutes jambes et disparaît.

A partir de ce jour, personne ne vient plus proposer au général de cuirasse à l'épreuve de la balle.

Questionnaire

1. De qui est-ce qu'on parle ? 2. A quoi le général Grant était-il occupé ? 3. Qui entre ? 4. Quel homme est venu pour voir le général Grant ? 5. Que veut-il lui montrer ? 6. Cet homme est-il inventeur ? Etes-vous inventeur ? 7. Qui est le plus grand inventeur américain ? 8. Qu'est-ce que l'inventeur a amélioré ? 9. A-t-il sa cuirasse avec lui ? 10. Qu'est-ce que le général lui dit de faire ? 11. Où se met l'inventeur ? 12. Comment le général veut-il faire l'épreuve ? 13. Qui

---

[1] Qu'il monte, *let him come up!*

est-ce qu'il appelle? 14. Est-ce que l'inventeur a quelques doutes? 15. Que fait-il? 16. Par où saute-t-il? 17. Est-ce que l'inventeur revient après cette épreuve?

Traduction

1. General Grant is busy. 2. He is making a report on a battle. 3. A man enters. 4. He has perfected a breastplate. 5. He is recommended by a senator. 6. The breastplate is bullet-proof. 7. General Grant will make a test. 8. The inventor puts on the breastplate. 9. He places himself near a window. 10. There is a sentry there. 11. He has a loaded gun. 12. But the inventor doubts the impenetrability of his armor. 13. He utters a cry of fright. 14. The sentry raises his gun. 15. The inventor jumps through the window. 16. He will speak no more of the bullet-proof armor. 17. Mr. Grant was a great general. 18. He was also a great president.

Pratique de Grammaire

1. *Modèles*, l. 11, le soldat qui **la** portera, *the soldier who will wear it;* l. 8, faites-**le** entrer, *have him come in;* l. 11, depuis que vous **l'**avez vue, *since you have seen it;* l. 20, endossez-**la**, *put it on;* l. 4, **lui** dit-il, *he said to him.* Note the Object Pronouns, **le** for the masculine singular direct object, **la** for the feminine singular direct object, and **lui** for the indirect object both mas-

culine and feminine singular. Note the position, directly **after** the verb in direct commands, directly **before** the verb in all other cases. In the following sentences change the noun to the proper pronoun and put it in the proper place: Il fait son rapport. Il montre sa cuirasse. Montrez votre cuirasse! Il présente son invention. Je dis au général d'entrer. Appelez l'aide de camp! On ne propose plus au général d'examiner la cuirasse. Faites entrer le factionnaire! N'enveloppez pas ce paquet!

2. *Modèle*, l. 36, **ce** jour; l. 4, **cet** homme; l. 22, **cette** fenêtre. See p. 110. Insert **ce, cet,** or **cette** properly before the following nouns: — cuirasse, — général, — rapport, — aide de camp, — épreuve, — factionnaire, — cri, — paquet, — inventeur. Give these in the plural.

3. Practice conversation based on the illustration.

Qui ne dit mot, consent!
Silence gives consent.

45. AMOUR FILIAL

Frédéric II, roi de Prusse, sonne un jour, mais personne ne vient. Il ouvre la porte de l'antichambre. Il voit son page endormi dans un fauteuil. Il s'avance vers lui, et va le réveiller lorsqu'il aperçoit un bout de
5 billet qui sort de sa poche. Le roi, curieux de savoir ce qu'il contient, le prend et le lit. C'était une lettre de la mère du jeune homme, qui le remerciait parce qu'il lui envoyait une partie de ses appointements pour la soulager dans son indigence.
10 Le roi rentre dans son cabinet, prend un rouleau d'or, et revient le glisser doucement avec la lettre dans la

poche du page. Ensuite il s'éloigne et sonne assez fort pour éveiller le dormeur.

— Vous avez l'ouïe bien dure,[1] monsieur le page, lui dit le roi. Le jeune homme balbutie quelques excuses. Dans son trouble il met la main dans sa poche, et sent le rouleau. Il le tire, pâlit et regarde le roi, sans pouvoir dire une seule parole.

— Qu'est-ce, dit le roi, qu'avez-vous?

— Ah, sire, dit le jeune homme, en se jetant aux genoux du prince, on veut me perdre;[2] je ne sais d'où me vient cet argent.

— Mon ami, lui dit Frédéric ému, — Dieu nous envoie souvent le bien en dormant; envoyez cet argent à votre mère. Saluez-la de ma part, et dites-lui que je prendrai soin d'elle et de vous.

Questionnaire

1. Qui était Frédéric II? 2. Où entre-t-il un jour? 3. Qui trouve-t-il endormi? 4. Qu'est-ce que le roi aperçoit? 5. Est-ce qu'il est curieux? 6. Etes-vous souvent curieux? 7. Qu'est-ce que le roi trouve?

---

[1] Vous avez l'ouïe bien dure, *you are very hard of hearing.*
[2] on veut me perdre, *somebody wants to ruin me.*

8. De qui est la lettre? 9. Qu'est-ce que la mère écrit? 10. Qu'est-ce que le roi glisse dans la poche du page? 11. Est-ce qu'il éveille le page? 12. Qu'est-ce que le page trouve dans sa poche? 13. Trouvez-vous souvent de l'argent dans votre poche? 14. Pourquoi le roi a-t-il donné de l'argent au page? 15. Aimez-vous votre mère? 16. Etes-vous un bon fils? 17. Combien d'argent avez-vous dans votre poche?

Traduction

1. Frederick the Second has a page. 2. He rings for his page. 3. But the page is asleep. 4. The king sees a letter in the page's pocket. 5. He is inquisitive. 6. The letter is from the young man's mother. 7. The page sends money to his mother. 8. The king slips some money into the page's pocket. 9. Then he awakens the sleeper. 10. The young man finds the money in his pocket. 11. He does not know whence the money came. 12. Send the money to your mother. 13. The page is a good son. 14. He loves his mother. 15. And the king likes the page. 16. Do you love your mother? 17. I love my mother.

Pratique de Grammaire

1. Racontez cette histoire au Passé Défini, au Futur, au Passé Indéfini.

2. Point out the Object Pronouns in this story and review the grammar practice on Object Pronouns, p. 119.

3. Cf. **le** page, *the page, a young attendant*, with **la** page, *the page of a book*.

4. l. 8, envo**y**ait; l. 32, envo**y**ez; l. 31, envo**i**e. Give the other forms of this verb in which **y** changes to **i**.

5. *Modèles*, l. 4, vers **lui**, *toward him;* l. 34, d'**elle**, *of her;* l. 34, de **vous**, *of you*. Note that it is the Disjunctive Pronoun that is used after prepositions. Use these three Pronouns with all of the following prepositions: avec, sans, pour, vers, and de.

Ce n'est que le premier pas qui coûte !
Once begun is half done.

46. UN COMPTE D'APOTHICAIRE

Un paysan se présente un jour chez un docteur à Chicago, et lui demande un remède pour empêcher ses cheveux de tomber.

— Je vais vous faire une ordonnance souveraine, dit le médecin ; et il écrit :

Chlorure de sodium . . . . . *1 once*
Aqua pura . . . . *8 onces*
Bien agiter et en frotter le crâne tous les matins.

Notre chauve porte l'ordonnance chez un pharmacien. Celui-ci lui donne bientôt le remède demandé : — C'est un dollar, ajoute-t-il.

— Un dollar ! se récrie le paysan ; mais n'est-ce pas un peu cher ?

— Savez-vous, réplique le pharmacien, combien coûte un gallon d'*aqua pura ?*

— Pas d'idée !

— C'est un des liquides les plus pénétrants du monde, continue le pharmacien ; et quant au chlorure de sodium, . . . il n'y a rien de pareil au monde ; et, de

124 UN COMPTE D'APOTHICAIRE

20 plus, la guerre de Chine en a fait monter le prix jusque
. . . jusqu'aux nues.

Le villageois, convaincu, paye sans plus dire et part.
La médecine lui paraît bonne sans doute, car il revient
quelque temps après pour la faire renouveler.
25 Ce jour-là le pharmacien est absent, et son apprenti
paraît. La bouteille remplie, le paysan pose un billet
de deux dollars sur le comptoir, et attend sa monnaie.

— Mais ce n'est rien, dit le garçon; je ne veux pas
vous faire payer pour si peu.
30 — Comment cela?

— Hé! ce n'est que de l'eau et du sel; le sel coûte
deux sous la livre, et l'eau, on l'a pour rien . . .

— Tonnerre! s'écrie le paysan, et votre patron qui
m'a fait payer cela un dollar la première fois!
35 Je . . .

A ce moment le patron rentre; il a bien de la peine
à pacifier son homme.

Questionnaire

1. Où se présente ce paysan?   2. Qu'est-ce qu'il
demande?   3. Quelle ordonnance le médecin lui fait-il
pour ses cheveux?   4. Quelle est le mode d'emploi de
cette médecine?   5. Le paysan a-t-il beaucoup de
cheveux?   6. Comment appelle-t-on un homme qui n'a
pas de cheveux?   7. Etes-vous chauve?   8. Combien
coûte l'ordonnance?   9. Coûte-t-elle cher?   10. L'*aqua
pura* est-elle très précieuse?   11. Pourquoi le chlorure
est-il si cher?   12. Le paysan est-il convaincu?
13. L'ordonnance est-elle bonne?   14. Pourquoi le
paysan revient-il?   15. Où était le pharmacien?

16. Qui était à sa place ? 17. Combien le paysan pose-t-il sur le comptoir ? 18. Le garçon accepte-t-il l'argent ? 19. Pourquoi pas ? 20. Qu'est-ce que c'est que l'*aqua pura* ? 21. Qu'est-ce que c'est que le chlorure de sodium ? 22. Est-il cher ? 23. Le pharmacien est-il honnête ?

Traduction

1. A peasant has no hair on his head. 2. He is bald. 3. He wants a remedy for his hair. 4. The druggist makes up a fine remedy. 5. It is made of *aqua pura* and of chloride of sodium. 6. He shakes it well. 7. The peasant will rub it on his head. 8. It costs a dollar. 9. That is very dear. 10. But *aqua pura* is a very dear liquid. 11. The villager is convinced. 12. The medicine is very good. 13. The bottle is filled. 14. But the druggist is not there. 15. A boy makes out the prescription. 16. He does not want money. 17. The *aqua pura* is only water. 18. The sodium chloride is only salt. 19. It costs very little. 20. The druggist comes back. 21. He will have a hard time in quieting the man.

Pratique de Grammaire

1. *Modèle*, l. 20, la guerre a **fait** monter le prix, *the war has caused the price to go up;* l. 34, qui **m'a fait** payer, *who made me pay*. Note **faire** used as a causative verb. Similarly introduce the proper form of **faire** in the following sentences, changing the meaning to *to cause to be done, to have done:* Il me donne un remède. (Il me fait donner un remède.) Il lui a renouvelé la médecine. Je vous remplirai la bouteille. Je vous paierai encore davantage. On vous coupe les cheveux. Nous frottons le crâne.

2. *Modèle*, l. 17, un des liquides **les plus pénétrants du** monde, *one of the most biting liquids in the world*. Note the position of the Superlative and the use of **de** after it. Similarly translate: One of the most horrible wars in China. One of the best remedies in the world. One of the most stupid apprentices in the town. The baldest peasant in the village.

3. Cf. **le** livre, *the book*, with **la** livre, *the pound*.

Tout est bien qui finit bien !
All is well that ends well.

47. LE PORTRAIT

Il y a plusieurs siècles que mourut dans la ville de Damas un marchand qui laissa des biens [1] considérables. On savait qu'il avait un fils unique alors en voyage ; mais personne ne le connaissait.

Quelque temps après arrivent trois jeunes gens. Chacun d'eux prétend être le fils unique et l'héritier légitime. Le juge fait apporter un portrait du défunt, extrêmement ressemblant.

— L'héritage, dit-il, est à celui de vous trois qui atteindra d'une flèche cette marque que je fais à la poitrine du portrait.

Le premier tire et atteint presque le but ; le second en approche plus encore. Mais, en visant, le troisième se met à trembler, pâlit et verse d'abondantes larmes

[1] des biens, *wealth*.

— Non, s'écrie-t-il, en jetant à terre l'arc et les flèches,
non, je ne saurais tirer;[1] j'aime mille fois mieux perdre
tout mon héritage !

— Noble jeune homme! lui dit alors le juge, c'est
vous qui êtes le véritable fils et le légitime héritier. Les
deux autres qui ont si bien tiré, ne sont que des imposteurs; car, ne fût-ce qu'en peinture,[2] un fils ne peut
percer d'une flèche le cœur de son père.

Questionnaire

1. Dans quelle ville mourut le marchand? 2. Qu'est-ce qu'il laissa? 3. Où était son fils unique? 4. Est-ce qu'on le connaissait? 5. Etes-vous fils unique? 6. Qui arrive à Damas? 7. Qu'est-ce qu'ils prétendent être? 8. Qu'est-ce que le juge fait apporter? 9. Qu'est-ce le juge fait à la poitrine du portrait? 10. Qui tire sur cette marque? 11. Est-ce que le troisième jeune homme tire aussi? 12. Qui est le véritable fils? 13. Pourquoi? 14. Aimez-vous votre père?

Traduction

1. A merchant of Damascus died. 2. He left considerable wealth. 3. He had an only son. 4. His son was traveling. 5. Three young men pretend to be the real son. 6. The judge has a picture of the dead man. 7. He makes a mark on his breast. 8. The one who will pierce the mark with the arrow is the rightful heir. 9. The first and the second young man shoot at the mark. 10. The third does not shoot. 11. He

---

[1] je ne saurais tirer, *I cannot shoot.*
[2] ne fût-ce qu'en peinture, *even in a picture.*

cannot shoot at his father's picture. 12. He is the rightful heir. 13. The two others are impostors.

Pratique de Grammaire

1. Apprenez par cœur les parties du corps humain nommées dans cet exercice.

2. *Modèle*, l. 23, c'est vous qui **êtes**, *it is you who are*. Note that the verb in the relative clause takes the person and number of the antecedent of *qui*. In like manner supply the proper verb in the following sentences: C'est moi qui (être, pres.) le fils véritable. C'est nous qui (attendre, pres.) le moment de tirer. C'est lui qui (savoir, condit.) tirer sur son propre père. C'est vous qui ne le (connaître, imperf.) pas. C'est le juge qui les (prouver, pres.) imposteurs.

3. L. 9, le juge **fait** apporter un portrait, *the judge has a picture brought*. Note the causative use of faire, and review grammar practice, p. 125.

4. Practice the conjugation of **atteindre**, l. 13, in the Future; **mourir**, l. 1, in the Preterite; **savoir**, l. 3, in the Imperfect; **faire**, l. 9, in the Present; **savoir**, l. 20, in the Conditional; and **pouvoir**, l. 25, in the Present.

5. Dramatize the story, one pupil taking the part of the judge, three others doing the rôles of the three sons, others the jury and attendants. Each son invents a proper story to prove his identity. The judge renders his decision.

Enigme : Je fus demain et je serai hier.
Réponse : Aujourd'hui.

48. LA CIGALE ET LA FOURMI

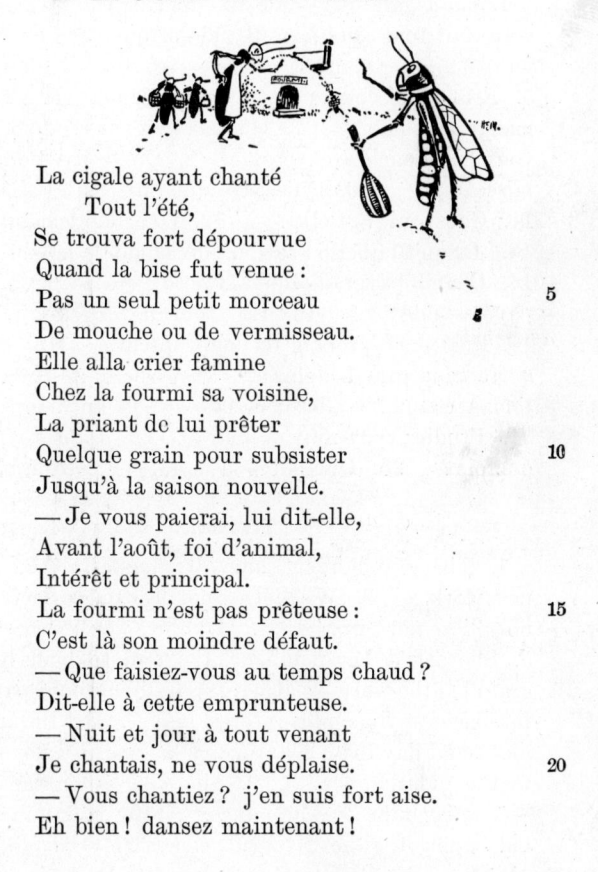

La cigale ayant chanté
    Tout l'été,
Se trouva fort dépourvue
Quand la bise fut venue :
Pas un seul petit morceau
De mouche ou de vermisseau.
Elle alla crier famine
Chez la fourmi sa voisine,
La priant de lui prêter
Quelque grain pour subsister
Jusqu'à la saison nouvelle.
— Je vous paierai, lui dit-elle,
Avant l'août, foi d'animal,
Intérêt et principal.
La fourmi n'est pas prêteuse :
C'est là son moindre défaut.
— Que faisiez-vous au temps chaud ?
Dit-elle à cette emprunteuse.
— Nuit et jour à tout venant
Je chantais, ne vous déplaise.
— Vous chantiez ? j'en suis fort aise.
Eh bien ! dansez maintenant !

Questionnaire

1. La cigale qu'a-t-elle fait tout l'été? 2. Qu'avez-vous fait tout l'été? 3. Est-ce que vous chantez toujours? 4. Quand la cigale se trouva-t-elle dépourvue? 5. Est-ce que votre père se trouve dépourvu? 6. Que mange la cigale? 7. Que mangez-vous? 8. Aimez-vous les mouches en été? 9. Où trouve-t-on les vermisseaux? 10. Qu'est-ce que la cigale alla crier? 11. Chez qui va-t-elle? 12. Que lui demande-t-elle? 13. Jusqu'à quelle saison demande-t-elle du grain? 14. Quand payera-t-elle la fourmi? 15. Comment la payera-t-elle? 16. La fourmi est-elle prêteuse? 17. Etes-vous prêteur ou emprunteur? 18. Quel est votre plus grand défaut? 19. Que fait la cigale au temps chaud? 20. Que faites-vous au temps froid? 21. Etudiez-vous nuit et jour? 22. Dansez-vous quelquefois? 23. Quelle est la morale de cette fable?

Traduction

1. The grasshopper sang all summer. 2. She did not work. 3. When the north wind came, she had no flies nor worms. 4. She was very hungry. 5. She asked her neighbor, the ant, to lend her some grain till the warm weather. 6. She would pay her before harvest time, plus interest. 7. But the ant works night and day for her grain. 8. She will not lend any to the grasshopper. 9. She sang when the weather was warm, now she can dance. 10. I play in summer, but when the north wind comes, I study in school. 11. My cousin does not work. 12. He borrows money

and he is a borrower.   13. My sister lends him some sometimes.   14. She is a lender and is very glad of it.

Pratique de Grammaire

1. Apprenez toute cette fable par cœur.

2. Dramatize the fable, changing the descriptions to conversation, one pupil playing the part of the ant and another that of the grasshopper.   For example :

Cig.   Bonjour, Mlle. de la Fourmi ?
Four.   Bonjour, Mlle. de la Cigale ?   Comment allez-vous ?
Cig.   Merci, Mlle.   Pas très bien.   Malheureusement tout va mal pour moi.   Je n'ai pas de grain pour subsister jusqu'à la saison nouvelle, etc.

3. Retell the fable in prose.

4. In line 4, explain the feminine form of venue. What is the masculine form of prêteuse, emprunteuse ?

5. Transpose the fable into the Present tense ; into the Future.

Comme on fait son lit on se couche.
As you make your bed so shall you lie.

49. L'ASSEMBLÉE DES ANIMAUX POUR CHOISIR UN ROI

Le lion est mort. Tous les animaux accourent dans son antre pour consoler la lionne, sa veuve. Après lui avoir fait leurs condoléances, ils procèdent à l'élection d'un nouveau roi. La couronne du défunt est au milieu de l'assemblée. Le lionceau est trop jeune et trop faible.

— Laissez-moi grandir, dit-il ; je saurai bien régner et me faire craindre à mon tour. En attendant, je veux étudier les belles actions de mon père, pour égaler un jour sa gloire.

— Pour moi, dit le léopard, je prétends être couronné ; car je ressemble plus au lion que tous les autres prétendants.

— Et moi, dit l'ours, je dois être roi. Je suis fort, carnassier, courageux, autant que le lion, et j'ai un avantage singulier, qui est de grimper sur les arbres.

— Je vous laisse à juger, messieurs, dit l'éléphant, si quelqu'un peut me disputer la gloire d'être le plus grand, le plus fort et le plus brave de tous les animaux.

— Je suis le plus noble et le plus beau, dit le cheval.

— Et moi le plus fin, dit le renard.

— Et moi le plus léger à la course, dit le cerf.

— Où trouverez-vous, dit le singe, un roi plus agréable et plus ingénieux que moi ? Je divertirai chaque jour mes sujets. Je ressemble même à l'homme, qui est le véritable roi de la nature.

Le perroquet alors harangue ainsi : — Puisque tu te vantes de ressembler à l'homme, je puis m'en vanter aussi. Tu ne lui ressembles que par ton laid visage et par quelques grimaces ridicules : pour moi, je lui ressemble par la voix, qui est la marque de la raison et le plus bel ornement de l'homme.

— Tais-toi, maudit causeur, lui répond le singe ; tu parles, mais non pas comme l'homme ; tu dis toujours la même chose, sans comprendre ce que tu dis.

L'ASSEMBLÉE DES ANIMAUX 133

L'assemblée se moque de ces deux mauvais copistes de 35
l'homme, et on donne la couronne à l'éléphant, parce qu'il
a la force et la sagesse, sans avoir ni la cruauté des bêtes
féroces, ni la sotte vanité de tant d'autres qui veulent
toujours paraître ce qu'elles ne sont pas.

Questionnaire

1. Qui était mort ? 2. Où accouraient tous les animaux ? 3. A quoi procédaient-ils ? 4. Où était la couronne du défunt ? 5. Qui parla le premier ? 6. Que voulait le lionceau ? 7. Qui parla après ? 8. Que voulait-il ? 9. A qui ressemble-t-il le plus ? 10. Quel animal est fort et carnassier ? 11. L'ours peut-il grimper sur les arbres ? 12. Lequel est le plus grand et le plus fort de tous les animaux ? 13. Lequel est le plus noble et le plus beau ? 14. Lequel est le plus fin ? 15. Lequel est le plus léger à la course ? 16. Quel animal ressemble à l'homme par le visage ? 17. Quel animal ressemble à l'homme par la voix ? 18. Qui dit toujours la même chose ? 19. Qui sont les deux copistes de l'homme ? 20. A qui donne-t-on la couronne ? 21. Quel animal a la force et la sagesse ? 22. L'éléphant est-il cruel ? 23. Est-il vain ? 24. Etes-vous beau ou laid, bon ou cruel, fort ou faible ?

Traduction

1. The lion was dead. 2. All the animals proceed to the election of a new king. 3. The cub is too young and weak. 4. The leopard wants to be crowned. 5. He resembles the lion the most. 6. The bear is

strong and courageous. 7. He climbs trees. 8. The elephant is the strongest and the bravest of all the animals. 9. The horse is the noblest and the finest. 10. The fox is the most cunning. 11. The deer is the fleetest. 12. The monkey resembles man. 13. The parrot resembles man by his voice. 14. They gave the crown to the elephant. 15. He has strength and wisdom. 16. He is neither cruel nor vain.

Pratique de Grammaire

1. From the text give the masculine forms for the following feminines: la reine, *the queen;* la veuve, *the widow;* la lionne, *the lioness;* la guenon, *the monkey;* la jument, *the mare;* la perruche, *the parrot;* l'ourse, *the she-bear.*

2. *Modèle,* l. 19, le plus beau, le plus noble. Note the superlative form of the adjective. Supply the superlative of the most appropriate adjective in the following sentences: —

De tous les animaux, le renard est —, le cerf est —, le singe est —, l'éléphant est —, le léopard est —.

3. Of the verbs used in the text: grandir, l. 6; craindre, l. 7; savoir, l. 6; vouloir, l. 7; divertir, l. 23; se taire, l. 32; give the Present Indicative first singular and first plural, the Imperfect Indicative second singular, the Future third singular, the Past Definite first plural, and the Past Indefinite third plural.

4. From Nos. 10 and 12 in the *Questionnaire,* note that **quel** is the adjective and **lequel** the pronoun, *which* or *what.* Use **quel** or **lequel** correctly in the following sentences: —

— animal avez-vous vu au cirque? Avec — se trouvait-il? De tous les animaux — est le plus léger? De tous ces élèves — est le plus fin? — avantage l'ours avait-il? — est l'animal à — l'homme ressemble?

VILLAGE D'ALSACE, RENDU À LA FRANCE.

5. *Modèle*, l. 19, **beau**, l. 31, **bel**, l. 8, **belle**. Insert the correct one of these three adjectives in the following: un — ornement, une — action, un — léopard, le — éléphant, le — cheval, la — raison.

Un Suisse, qui dormait sur le parapet d'une ville assiégée, eut la tête emportée par un boulet de canon. Un de ses compatriotes, témoin de l'accident, s'écria : " Ah, que mon camarade va être étonné quand il s'éveillera sans tête."

50. LE CHEVAL ET LES HUÎTRES

C'était une froide soirée de décembre ; un voyageur à cheval arrive dans l'unique hôtellerie d'un village. Après s'être débarrassé de son manteau, il entre dans la grande cuisine qui servait en même temps de salle à manger. Un grand feu flambait dans l'âtre et répandait dans la salle sa réjouissante clarté ; mais le feu était entouré d'une foule serrée de voyageurs et de gens du village : pas moyen d'en approcher.

Au bout de quelques instants le nouveau-venu demande d'une voix très haute, de manière à être entendu de tout le monde :

—Monsieur l'hôtelier, a-t-on bien bouchonné mon cheval ?

—Oui, on s'en occupe maintenant, et je lui ai fait donner de l'avoine comme vous avez ordonné.

—Bien ! mais attendez, reprend le voyageur ; vous

avez des huîtres, n'est-ce pas ? Faites-en porter[1] sur-le-champ deux douzaines à mon cheval.

— Des huîtres à votre cheval !

— Oui, faites ce que je vous dis ; qu'on les lui porte[2] tout de suite !

— Un cheval qui mange des huîtres ! disent quelques-uns de ceux qui avaient entendu la conversation ; allons voir ça !

Ils se lèvent et suivent à l'écurie le garçon avec son plat d'huîtres. Le voyageur en profite pour s'installer à une des places laissées vides autour du feu.

Au bout de cinq minutes, le garçon revient avec les huîtres intactes :

— Monsieur, dit-il, votre cheval n'en veut pas.

— Ah bah ! Eh bien, il faut alors que je les mange ; faites-les frire pour mon souper.

Questionnaire

1. Qui arrive ? 2. Où arrive-t-il ? 3. Quand arrive-t-il ? 4. Où entre-t-il ? 5. Qui est dans la salle ? 6. Que demande le nouveau-venu ? 7. Pour qui sont les huîtres ? 8. Est-ce qu'un cheval mange des huîtres ? 9. Qui se lève ? 10. Où va-t-on ? 11. Que fait le voyageur ? 12. Est-ce que le cheval

---

[1] Faites-en porter, *have some taken.*
[2] qu'on les lui porte, *have them taken to him.*

mange les huîtres? 13. Qui mange les huîtres?
14. Aimez-vous les huîtres?

Traduction

1. A traveler arrives at a hotel. 2. He is on horseback. 3. He enters the dining-room. 4. There is a crowd near the fire. 5. There is no way of approaching the fire. 6. Give two dozen oysters to my horse! 7. The men get up. 8. The horse does not eat the oysters. 9. The traveler places himself in a vacant place. 10. He is near the fire. 11. He eats the oysters. 12. I eat oysters; I like them.

Pratique de Grammaire

1. *Modèle*, l. 21, Vous avez des huîtres; faites-en porter à mon cheval. Note that **en** takes the place of the preposition **de** with its object noun or pronoun. Note that its position is directly **after** the verb in the Imperative Affirmative and directly **before** the verb in all other cases. Instead of the **de**-phrases in the following sentences put the Partitive Pronoun **en**: —

Le voyageur s'est débarrassé de son manteau. Le cheval ne mange pas d'huîtres. On s'occupe de votre cheval. Je lui ai fait donner de l'avoine. On lui porte des huîtres. Profitez de cet événement pour vous installer près du feu. Je ne mange pas d'huîtres.

2. *Modèle*, l. 24, Qu'on **les lui** porte. Note that when both object pronouns are of the third person, the direct precedes the indirect. In the following sentences change the object nouns to object pronouns in the proper order and position: Je demande une place à l'hôtelier. Il offre le dîner aux voyageurs. Portez les huîtres au cheval. L'hôtelier raconte la conversation à sa femme.

3. From a study of the text supply the missing preposition:
Le feu était entouré — voyageurs. Une douzaine — huîtres.
Il est entré — la salle — manger. Il s'est débarrassé — la
foule. Au bout — cinq minutes.

4. Act out this scene, one pupil taking the rôle of the hotel-keeper, another that of the guest, another that of the waiter, others the other guests and hangers-on. Make the descriptions direct discourse.

5. Practice conversation on the illustrations.

Rentrant de visite, Madame N. sonne à la porte. Personne ne vient. Elle sonne une seconde fois plus fort. Toujours personne. Enfin, au troisième coup de sonnette très prolongé, le valet de chambre se décide à se montrer

" Vous êtes donc sourd ? " lui demande-t-elle.

" Je demande bien pardon à madame," répond tranquillement le valet de chambre, " mais je n'ai entendu que le troisième coup."

51. LA TABATIÈRE D'OR

Un colonel montre à quelques officiers qui dînaient chez lui une tabatière d'or qu'il venait d'acheter.[1] Quelques moments après, voulant prendre une prise, il cherche dans ses poches et est fort étonné de ne plus la retrouver.
—Messieurs, dit-il, ayez la bonté de voir si quelqu'un de vous ne l'aurait pas mise par distraction dans sa poche.

Tous se lèvent aussitôt et retournent leurs poches. Pas de tabatière. Un jeune sous-lieutenant dont

[1] venait d'acheter, *had just bought;* venir de *with an infinitive* means *to have just.*

l'embarras est visible reste seul assis, et refuse de retourner ses poches.

— J'affirme sur ma parole d'honneur que je n'ai point la tabatière, dit-il ; cela doit suffire. Les officiers se séparent en hochant la tête, et chacun le regarde comme un voleur.

Le lendemain matin, le colonel le fait appeler[1] et lui dit :—La tabatière s'est retrouvée ; elle était tombée dans la doublure de mon habit. Maintenant je vous prie de me faire connaître le motif pour lequel vous avez refusé hier soir de retourner vos poches tandis que tous les autres n'ont pas hésité à le faire.

— Mon colonel, répond le sous-lieutenant, c'est une chose que je n'avouerai qu'à vous seul. Mes parents étant fort pauvres, je leur donne la moitié de ma solde, et jamais je ne mange rien de chaud à dîner. Lorsque vous m'invitiez hier, j'avais déjà mon dîner dans ma poche. Jugez de ma confusion si, en la retournant, j'en avais fait tomber une saucisse et un morceau de pain bis !

— Vous êtes un excellent fils, dit le colonel, touché de cet aveu. Votre couvert sera mis tous les jours chez moi.

Là-dessus il le conduit dans la salle à manger, et devant tous les officiers il lui présente la tabatière comme une marque de son estime.

[1] fait appeler, *sends for*.

Questionnaire

1. Qu'est-ce que le colonel montre aux officiers?
2. Qu'est-ce qu'il a perdu quelques moments après?
3. Qu'est-ce que les officiers retournent? 4. Qui ne retourne pas ses poches? 5. Comment regarde-t-on le jeune officier? 6. Est-ce que le colonel retrouve la tabatière? 7. Où était-elle tombée? 8. Pourquoi le jeune officier n'a-t-il pas retourné ses poches? 9. A qui est-ce qu'il donne la moitié de sa solde? 10. Qu'est-ce qu'il a mis dans sa poche? 11. Où son couvert sera-t-il mis tous les jours? 12. Qu'est-ce que le colonel lui présente? 13. Etes-vous un excellent fils? 14. Donnez-vous la moitié de votre solde à vos parents?

Traduction

1. The colonel shows a snuff-box to his officers. 2. A few minutes afterwards it is lost. 3. The officers turn their pockets inside out. 4. A young under-officer refuses. 5. The next morning the colonel finds the snuff-box. 6. The young officer had a sausage and a piece of black bread in his pocket. 7. His parents are poor. 8. He gives half of his pay to his parents. 9. He is a good son. 10. The colonel invites him to his house every day for dinner. 11. He presents the officer with the snuff-box.

Pratique de Grammaire

1. *Modèle*, l. 8, Un lieutenant **dont** l'embarras est visible, *a lieutenant whose embarrassment is evident;* l. 20, le motif **pour lequel** vous avez refusé, *the motive for which you refused.* Note that the Relative Pronoun object of the preposition is **lequel**,

laquelle, lesquels, lesquelles, except for the preposition **de**, which is supplanted by **dont** for all genders and numbers. Supply the proper Relative Pronoun in the following sentences: Les parents (of whom) je suis le fils unique sont fort pauvres. Les parents (to whom) je donne la moitié de ma solde, ne mangent rien de chaud à dîner. Je cherche la tabatière (without which) je ne serai plus à mon aise. Faites appeler les officiers (before whom) je lui présenterai la tabatière. C'était un aveu (by which) le colonel était touché.

2. Account for the feminine form of the past participle in **mise,** l. 6; **retrouvée,** l. 16; **tombée,** l. 16.

3. Insert the proper preposition in the following sentences: Il est étonné — voir. Ayez la bonté — me le dire. Je refuse — retourner mes poches. Je vous prie — venir me voir. Je n'hésite pas — le faire. Je suis touché — cet aveu.

Charade

Quand mon premier est mon dernier
Alors on croque mon entier.
(*Mot :* bonbon.)

52. LA NATURE HUMAINE

M. Combel, directeur d'une grosse affaire financière, attendait deux membres de son conseil d'administration. Ne voulant recevoir que ces deux personnages, il dit à son domestique, jeune gars récemment arrivé de son village, et un peu naïf : 5

— Tu reconnaîtras facilement ces deux messieurs; l'un est boiteux et l'autre est sourd. Après quoi M. Combel se retire dans son cabinet. Le boiteux sonne.

— M. Combel est-il visible?

— Cela dépend, dit le domestique ; êtes-vous sourd ?

— Pas le moins du monde.

— Ni boiteux ?

— Vous êtes un insolent. Je me dandine un peu en marchant, mais je ne suis pas boiteux.

— Alors monsieur n'est pas chez lui.

Quelques instants après, autre coup de sonnette.

— Monsieur Combel ?

— Etes-vous boiteux ?

— Jamais de la vie !

— Alors êtes-vous sourd ?

— Hein ?

— Je vous demande si vous êtes sourd.

— J'ai l'oreille un peu dure, mais je ne suis pas sourd.

— Tant pis . . . parce que, dans ce cas, M. Combel est sorti.

Questionnaire

1. Qui était M. Combel ? 2. Qui était son domestique ? 3. Qui M. Combel attendait-il ? 4. Comment son domestique reconnaîtrait-il ces deux messieurs ? 5. Etes-vous boiteux ? Etes-vous sourd ? 6. Où se retire M. Combel ? 7. Qui sonne le premier ? 8. Que lui demande le domestique ? 9. Ce monsieur est-il sourd ou boiteux ? 10. Peut-il voir M. Combel ? 11. Qui sonne ensuite ? 12. Est-il boiteux ? Est-il sourd ? 13. Est-ce qu'il entend les questions du domestique ? 14. Est-il reçu par M. Combel ? 15. Le domestique est-il naïf ou habile ?

Traduction

1. Mr. Combel was a director.   2. He was a member of the Executive Committee.   3. He expected two gentlemen of that committee.   4. He will not receive other people.   5. He has a young servant.   6. The boy is very simple.   7. He will recognize these gentlemen very easily.   8. One gentleman is lame.   9. The other is deaf.   10. The first one rings.   11. He says that he is not lame.   12. He only limps a little.   13. And he is not deaf.   14. The servant will not admit him.   15. The other rings.   16. He is the deaf gentlemen.   17. But he will not say that he is deaf.   18. He says that he is only hard of hearing.   19. And he is not lame.   20. Mr. Combel was not at home for him.

Pratique de Grammaire

1. Give the masculine singular of the adjectives: grosse, financière, jeune, dure. Give the feminine singular of the adjectives: naïf, insolent, boiteux, sourd.

2. *Modèle*, l. 11, le moins **du** monde. Note that the preposition **de** translates **in** after a superlative.

3. Make original sentences containing the above adjectives in the superlative and followed by a modifying phrase with **de**.

4. Act out this scene.

Grand parleur, grand menteur.
Grand vanteur, petit faiseur.
A great talker is a great liar.
A great braggart is a slight doer.

53. LES DEUX FRÈRES

Deux frères possèdent un terrain à Jérusalem. L'un d'eux est marié et père de plusieurs enfants. L'autre est garçon. Ils cultivent en commun le champ qu'ils ont hérité de leur père.

Le temps de la moisson venu, ils lient leurs gerbes. Ils font deux tas égaux qu'ils laissent en plein champ.[1]

Pendant la nuit, celui des deux qui n'est pas marié, a une bonne pensée; il se dit à lui-même: — Mon frère a une femme et des enfants à nourrir; ma part ne doit pas être aussi considérable que la sienne. Allons, je vais prendre à[2] mon tas quelques gerbes que j'ajouterai secrètement aux siennes. Il ne s'en apercevra pas. Et il fait comme il a pensé.

La même nuit, l'autre se réveille et dit à sa femme: — Mon frère est seul et sans compagne; il n'a personne pour l'aider dans son travail. Je ne dois pas prendre au champ commun autant de gerbes que lui. Levons-nous, et portons secrètement à son tas un certain nombre de gerbes. Il ne s'en apercevra pas demain. Et il fait comme il a pensé.

Le lendemain, chacun des deux frères se rend au champ et est bien surpris de voir que les deux tas sont toujours égaux. Ni l'un ni l'autre ne peut s'expliquer ce prodige. Ils font de même pendant plusieurs nuits de suite; mais comme chacun porte au tas de l'autre le même nombre de gerbes, les tas demeurent toujours égaux.

Mais une nuit, tous deux guettent pour éclaircir ce mystère. Et ils se rencontrent, portant chacun les gerbes qu'ils se destinent mutuellement.

---

[1] en plein champ, *in the open field.*   [2] prendre à, *to take from.*

LES DEUX FRÈRES

Questionnaire

1. Dans quelle ville les frères possèdent-ils un terrain ? 2. De qui ont-ils hérité le champ ? 3. Sont-ils tous les deux mariés ? 4. Etes-vous garçon ? 5. Votre frère est-il garçon ? 6. Que font-ils de ces gerbes ? 7. Que pense celui qui n'est pas marié ? 8. Que fait celui qui n'est pas marié ? 9. Que fait celui qui est marié ? 10. Est-ce que les deux tas sont toujours égaux ? 11. Quand les deux frères se rencontrent-ils ? 12. Que porte chacun ? 13. Est-ce que les frères s'aiment ? 14. Aimez-vous le vôtre ? 15. Aidez-vous votre frère ?

Traduction

1. Two brothers cultivated a field in common. 2. One is married. 3. The other is not married. 4. He is a bachelor. 5. They make two equal piles of sheaves. 6. One brother secretly adds to the other's sheaves. 7. The other also secretly adds to his brother's sheaves. 8. The two brothers are surprised. 9. The heaps always remain equal. 10. One night they meet. 11. The two brothers love each other. 12. Love your brother. 13. Help him.

Pratique de Grammaire

1. *Modèle*, l. 6, en plein champ, *in the open fields, in mid-field*. Similarly give in French: in mid-air, in mid-ocean, in the middle of the night, in the midst of the mountains.

2. L. 2, **plusieurs** enfants (m.); l. 24, **plusieurs** nuits (f.). How does the form of **plusieurs** change with gender?

3. What difference is there in the use of **demain**, l. 19, and **le lendemain**, l. 21?

4. *Modèle*, l. 11, je vais prendre **à** mon tas, *I will take from my pile*. Note that the verb **prendre** requires **à** (from *Lat.* **ab**, *from*) for the English *to take* **from**. Similarly translate: I take the pile from my brother. He takes the pile from me. The mother takes the apple from her child. He takes it from her.

5. *Modèle*, l. 23, **Ni** l'un **ni** l'autre **ne** peut s'expliquer ce prodige, *neither can explain this marvel*. Note that **ni ... ni** requires **ne** in the sentence but omits **pas**. Similarly translate: Neither one pile nor the other changes. Neither the married brother nor the bachelor has a large share. The bachelor had neither wife nor companion. I will help you neither in your work nor in your music.

6. Transposition. Retell the story in the Past Indefinite and in the Future. Keep the conversations in the Present tense.

Fais ce que dois, advienne que pourra.
Do your duty, happen what may.

54. LA CASSETTE

Un père de famille, aveuglé par sa tendresse pour ses enfants, leur donne tous ses biens. Eux, de leur côté,[1] le logent et le nourrissent chacun à son tour. Il est bien traité d'abord, mais est bientôt négligé.

5 Il conte son chagrin à un de ses amis. — Vos fils, lui dit l'ami qui était un riche banquier, vos fils n'ont plus d'égards pour vous, parce qu'ils savent que vous êtes pauvre et que vous n'avez plus rien à leur laisser. Je vais vous donner ces dix sacs de louis d'or; comptez-
10 les tout en paraissant[2] les cacher. Dès qu'ils[3] vous

---

[1] de leur côté, *on their side*.
[2] tout en paraissant, *at the same time seeming to*.
[3] Dès que, *as soon as*.

croiront riche, vos fils changeront de conduite à votre égard.[1]

Le pauvre père consent à la ruse. Rentré chez lui, il se met à compter l'or du banquier, son ami. Les fils entendent de loin le bruit des pièces d'or. Ils accourent, et voient par le trou de la serrure, leur père occupé à faire des rouleaux d'or. Le soir, ils lui disent:

— Père, qu'est-ce que c'est que cet or que vous comptiez ce matin?

— C'est une somme, répondit-il, que j'avais mise dans le commerce et qui a profité, grâce aux bons soins de mon banquier.

— Et qu'en ferez-vous?

— Je la garderai dans ma cassette. C'est un trésor que je destine à celui de vous dont j'aurai été le plus content pendant le reste de ma vie.

Dès ce jour, le vieillard est soigné, respecté, caressé à merveille.[2] Il meurt, et ses fils, courant à la cassette, se hâtent de l'ouvrir;— elle était vide. Il y avait seulement un marteau de fer avec un papier contenant ces mots: "Je lègue ce marteau pour casser la tête du père insensé qui donnera tous ses biens à ses enfants et comptera sur leur reconnaissance."

Questionnaire

1. A qui le père donne-t-il tous ses biens? 2. Qu'est-ce que ses enfants font de leur côté? 3. Est-il bien traité d'abord? 4. Est-il bientôt négligé? 5. A qui conte-t-il son chagrin? 6. Pourquoi les fils n'ont-ils plus d'égards pour le père? 7. Qui donne de l'argent

---

[1] à votre égard, *towards you*. [2] à merveille, *to his heart's content*.

au père? 8. Qu'est-ce que le père fait de cet argent? 9. A qui cette somme est-elle destinée? 10. Que fait le père quand il rentre chez lui? 11. Est-ce que les fils aiment l'argent? 12. Pourquoi le vieillard est-il bien soigné après? 13. Qu'est-ce qu'il y avait dans la cassette? 14. Etes-vous reconnaissant? 15. Pourquoi le marteau est-il légué? 16. Aimez-vous votre père plus que l'argent?

Traduction

1. A father loves his children. 2. He gives them all his wealth. 3. They board him. 4. But the father is soon neglected. 5. He has a friend. 6. The friend is a rich banker. 7. He tells him his sorrow. 8. His friend gives him ten bags of gold coins. 9. The father counts the money. 10. He makes a great deal of noise. 11. They see the money through the keyhole. 12. He keeps it in a box. 13. The money is for the one who is good. 14. From that day on, they treat him well. 15. When he died the sons opened the box. 16. The box was empty. 17. Only a hammer was in the box. 18. There was also a paper. 19. The father who gives everything to his children is crazy. 20. Children have no gratitude. 21. They will break the foolish father's head with a hammer.

Pratique de Grammaire

1. *Modèle*, l. 10, **Dès qu**'ils vous **croiront** riche, vos fils changeront de conduite, *as soon as they know that you are rich your sons will change their conduct.* Note that **dès que** requires the Future tense when future action is implied. Insert **the**

future of the suggested verb in the following sentences: Dès qu'il vous (savoir) riche, il vous traitera mieux. Dès que vous (compter) cet argent, ils vous croiront riche. Dès qu'on (léguer) tous ses biens, on ne sera plus nourri. Dès que mon fils me (soigner) bien, je lui léguerai cette somme.

2. *Modèle*, l. 2, **Eux**, de leur côté, le logent, *they, on their side, board him*. Note that the Disjunctive Pronoun must be used when the subject is separated from the verb by a phrase. Similarly translate: They, in their turn, will think that you are rich. He, from the other side of the door, will look through the keyhole. They, just now so ugly, care for him now and respect him.

3. *Modèle*, l. 10, **tout en paraissant**, *while seeming*. Similarly translate: While caring for the old man, they are eager to open that chest. While changing their conduct toward him, they do not love him the more. While counting the money, he hears his sons who run up.

4. Transposition. Give in the First Person Singular the sentence, l. 2, that begins, **Eux, de leur côté.** Give it in the Future, third singular. Give it in the Past Indefinite, first plural. Give in the Past Indefinite the paragragh, l. 13, that begins **Le pauvre père consent** through **rouleaux d'or.** Give it in the Past Definite.

Faire d'une pierre deux coups.
To kill two birds with one stone.

55. COLBERT ET L'OFFICIER GASCON

Un officier gascon, ayant obtenu de Louis quatorze une gratification de quinze cents francs, alla chez M. Colbert, ministre des finances, pour toucher cette somme. Le ministre se trouvait justement à table avec cinq ou six seigneurs qui dînaient avec lui.

COLBERT ET L'OFFICIER GASCON

Le Gascon, sans se faire annoncer, entra dans la salle à manger, avec la hardiesse qui caractérise les Gascons.[1] Il s'approcha de la table et dit d'une voix forte : — Messieurs, sauf votre respect,[2] lequel est M. Colbert ? — C'est moi, monsieur, dit le ministre. Que voulez-vous ? — Eh ! pas grand'chose, dit le Gascon, un petit ordre du roi pour me compter quinze cents francs.

Colbert, qui voulait se divertir, pria l'étranger de se mettre à table, lui fit donner un couvert et lui promit de songer à lui après le repas. Le Gascon accepta l'offre sans faire de façons,[3] et mangea comme quatre.

Après le dîner, Colbert fit venir un de ses commis, qui conduisit l'officier au bureau, où on lui compta mille francs. Comme il fit observer qu'il devrait en toucher quinze cents, le caissier lui répondit :

— Cela est vrai ; mais on en a retenu cinq cents pour votre dîner.

— Cadédis ! s'écria le Gascon, cinq cents francs pour un dîner ! Je ne paie que vingt sous à mon auberge !

— Je le crois, dit le commis, mais vous n'y mangez pas avec M. Colbert. C'est cet honneur-là qu'on vous fait payer.

— Eh bien, répliqua le Gascon, puisque la chose est ainsi, gardez tout. Ce n'est pas la peine que je prenne[4] ces mille francs. J'amènerai demain un de mes amis dîner ici, et nous serons quittes.

---

[1] Les Gascons, natives of the province of Gascony, southern France, noted for their swagger, boasting, and wit.

[2] sauf votre respect, *with all due respect to you.*

[3] sans faire des façons, *without standing on ceremony.*

[4] Ce n'est pas la peine que je prenne, *it isn't worth my while to take.*

Colbert, à qui on rapporta ce discours, admira beaucoup cette gasconnade, fit compter à l'officier, qui n'avait peut-être pas de quoi vivre, la somme qui lui était due, et lui rendit dans la suite mille bons offices. On raconta l'histoire à Louis quatorze, qui en rit beaucoup.

Questionnaire

1. Qu'est-ce que le Gascon a obtenu de Louis quatorze ? 2. Chez qui va-t-il pour toucher cette somme ? 3. Qui est M. Colbert ? 4. Est-ce que M. Colbert est chez lui ? 5. Que fait-il ? 6. Le Gascon que demande-t-il ? 7. Quelle offre accepte le Gascon ? 8. Combien d'argent le caissier donne-t-il au Gascon ? 9. Combien d'argent doit-il toucher ? 10. Combien d'argent reçoit-il ? 11. Combien d'argent retient-on pour le dîner ? 12. Pourquoi le Gascon doit-il payer cinq cents francs le dîner ? 13. Est-ce que le Gascon accepte les mille francs ? 14. Est-ce que M. Colbert paye au Gascon les quinze cents francs ? 15. Est-ce qu'il admire cette gasconnade ?

Traduction

1. A Gascon officer received a 1500-franc reward from Louis the Fourteenth. 2. He goes to M. Colbert. 3. M. Colbert is the minister of finance. 4. He asks M. Colbert for the money. 5. M. Colbert is dining. 6. The Gascon enters the dining-room. 7. Here is a little order from the king for 1500 francs. 8. Sit down to dinner. 9. The Gascon eats heartily. 10. After dinner the treasurer counts out 1000 francs.

11. He takes off 500 francs for his dinner. 12. Five

hundred francs for a dinner is very much for our Gascon. 13. He pays only twenty cents at his hotel. 14. But he does not eat with M. Colbert. 15. He pays 500 francs for that honor. 16. The Gascon does not take the money. 17. He will bring one of his friends the next day. 18. He will have three dinners for 1500 francs. 19. Then he will be even. 20. Colbert admires the Gascon's sally. 21. He gives him the money. 22. He laughs very much at it.

Pratique de Grammaire

1. L. 1, **un officier gascon.** What adjectives are placed after the noun modified?

2. L. 1, **obtenu.** Give other compounds of **tenir**, with meanings.

3. L. 3, **M. Colbert, ministre.** Why is the article omitted before **ministre**?

4. L. 6, **sans se faire annoncer.** What form of the verb is used after a preposition?

5. L. 11, **grand'chose.** Why the apostrophe?

6. L. 12, **quinze cents francs.** When is **cent** written with an **s**?

7. L. 18, **mille.** When does **mille** take a final **s**?

8. L. 16, **mangea.** Account for the **e** of the ending.

9. L. 24, **paie.** Account for the **i** of this verb.

10. L. 30, **amènerai.** Account for the grave accent in this form.

11. L. 24, **mon auberge.** Why is **mon** used?

12. L. 14, **lui promit de songer.** Give five other verbs that require **de** before a following infinitive.

Il n'est pire eau que l'eau qui dort.
Still waters run deep.

Départ pour le Marché aux Cochons.
Paysans bretons s'en allant à la grande place de la ville." — p. 153.

56. LE PETIT COCHON

Tout le peuple d'une ville est sur une grande place pour voir jouer des pantomimes. Parmi ces acteurs il y a un bouffon qu'on applaudit à chaque moment.

Il paraît seul sur la scène, se baisse, se couvre la tête de son manteau, et se met à contrefaire le cri d'un petit cochon. On croit qu'il y a un véritable cochon sous ses habits.

On lui crie de secouer son manteau et sa robe. Il fait cela et comme il n'y a rien dessous, les applaudissements se renouvellent avec plus de fureur dans l'assemblée.

Un paysan qui regarde cela est choqué de cette admiration.

— Messieurs, s'écrie-t il, vous avez tort d'être charmés de ce bouffon; il n'est pas si bon acteur que vous le croyez. Je sais mieux que lui faire le petit cochon.[1] Si vous en doutez, revenez ici demain à la même heure.

Le peuple se rassemble le jour suivant en très grand nombre plutôt pour siffler le paysan que pour voir ce qu'il fera.

Le bouffon commence et il est encore plus applaudi que le jour précédent.

Alors le paysan se baisse à son tour, et s'enveloppe la tête de son manteau. Il tire l'oreille à un véritable cochon qu'il tient sous son bras. Le cochon pousse des cris perçants.

Cependant, le peuple donne le prix au bouffon, et siffle le paysan, qui, montrant tout à coup le petit cochon aux spectateurs, dit: — Messieurs, ce n'est pas moi que vous

---

[1] faire le petit cochon, *to imitate a little pig.*

sifflez, c'est le cochon lui-même. Voyez quels juges vous
30 êtes !

Questionnaire

1. Où est le peuple ? 2. Qui est-ce qu'on applaudit ? 3. Où le bouffon paraît-il ? 4. De quoi se couvre-t-il ? 5. Qu'est-ce qu'il se met à contrefaire ? 6. Avez-vous jamais vu un petit cochon ? 7. Qu'est-ce qu'on croit ? 8. Qu'est-ce que le bouffon secoue ? 9. Y a-t-il un cochon sous le manteau ? 10. Qui regarde tout cela ? 11. Est-ce qu'il est choqué ? 12. Les messieurs sont-ils charmés du bouffon ? 13. Est-il bon acteur ? 14. Est-ce qu'il est meilleur acteur que le bouffon ? 15. Pourquoi le peuple se rassemble-t-il ? 16. Le bouffon est-il applaudi ? 17. Qui est-ce qu'on siffle ? 18. Qui reçoit le prix ? 19. Que montre le paysan aux spectateurs ? 20. Qu'est-ce qu'ils ont sifflé ? 21. Les juges ont-ils tort ?

Traduction

1. There was a small town. 2. The people were in the large square. 3. A clown is playing tricks. 4. He imitates the cries of a pig. 5. He hasn't a real pig. 6. He receives much applause. 7. A peasant looks at him. 8. He is not charmed with this admiration. 9. He is a better actor. 10. He has a real pig. 11. But the people applaud the clown. 12. They hiss the peasant. 13. They think that the clown is better than the pig himself. 14. They are bad judges.

BREST.

Port de débarquement en France des troupes américaines. C'est là où arrivent des navires marchands avec de riches cargaisons. — p. 155, l. 1.

Pratique de Grammaire

1. *Modèle*, l. 15, **faire le petit cochon**. Note the use of **faire**, *to pretend to be, to act as*. Similarly say in French: to pretend to be a banker, a soldier; to act as an old man, as a young man; to pretend to be rich, childish.

2. *Modèle*, l. 4, **il se couvre la tête**, *he covers his head*. Note that with parts of the body the Definite Article is used. Ownership is shown by the Indirect Object Pronoun. In the same manner give in French: I cover my arm. She cuts her finger. They wash their hands. We would break a leg.

3. Insert the proper word in place of the dash: Ils — tort — être choqués. Ils étaient charmés — ce bouffon. Je ne suis pas si bon acteur que vous — croyez. Il a tiré l'oreille — un véritable cochon. Il y avait un bouffon — ces spectateurs. Le peuple lui crie — secouer le manteau. Elle s'est mise — faire le cochon.

A force de forger on devient forgeron.
Practice makes perfect.

57. L'HEUREUX EXPÉDIENT

Un navire marchand, allant de Smyrne à Marseille avec une riche cargaison de soie et de tapis, échappa aux ennemis par une de ces ruses heureuses qu'une tête froide et tranquille peut seule inventer à la vue d'un danger imminent.

Ce navire, poursuivi par un corsaire, se crut perdu. Le capitaine s'avisa de faire descendre tout son monde dans la cale, et ne laissa sur le pont qu'un Vénitien à qui il eut soin de bien faire la leçon. A l'approche du corsaire, qui tira un coup de canon, le Vénitien leva les bras, tenant à la main un mouchoir qu'il agita en l'air, et sembla faire des signaux de détresse. Aussitôt le corsaire le héla et lui commanda de se rendre.

— Ah! signor, répondit d'une voix plaintive le rusé Italien, je n'en ai pas la force. Vous êtes bien le maître de vous emparer du vaisseau: je suis passager, nous venons de Smyrne, le capitaine est mort de la peste dans la traversée avec la moitié de son monde, et il ne reste que six hommes sur le point d'expirer si vous ne les secourez. Je tremble d'être moi-même la dernière victime de ce fléau, si je suis obligé de rester plus longtemps dans cet endroit empesté. Au nom de Dieu, venez à mon secours!

— Va-t'en, coquin, lui cria le corsaire, que le diable m'emporte,[1] si je m'approche de ton bord; je ne voudrais pas de[2] ton vaisseau, fût-il chargé[3] de tous les trésors du Pérou!

[1] que le diable m'emporte, *may the devil take me.*
[2] je ne voudrais pas de, *I would not want.*
[3] fût-il chargé de, *even if it were loaded with.*

Questionnaire

1. Quelle cargaison avait le navire marchand ? 2. Par qui était-il poursuivi ? 3. Qui descend dans la cale du navire ? 4. Qui est sur le pont ? 5. Que tire le corsaire ? 6. Que lève le Vénitien ? 7. Est-ce que l'Italien est rusé ? 8. Est-ce que le capitaine est mort de la peste ? 9. Est-ce une ruse ? 10. Est-ce que le corsaire s'approche du navire ? 11. Le capitaine a-t-il la tête froide et tranquille ? 12. Etes-vous rusé ? 13. Avez-vous la tête froide et tranquille ? 14. Est-ce que l'Italien est sauvé par cette ruse ?

Traduction

1. A merchant vessel was pursued by a pirate. 2. The vessel had a cargo of silks and carpets. 3. The captain has a cool head. 4. Everybody goes down into the hold. 5. He leaves a Venetian on deck. 6. The pirate fires a shot. 7. The Venetian is a passenger. 8. He says that half of the passengers are dead of the plague. 9. He asks for help. 10. The pirate does not approach the vessel. 11. He is afraid. 12. And by this ruse the ship escapes.

Pratique de Grammaire

1. Employ in original sentences the following idiomatic expressions: à la vue de, l. 4; ne ... que, l. 8; sur le point de, l. 27; la moitié de, l. 24; à l'approche de, l. 9; échapper à, l. 2; s'emparer de, l. 18; s'approcher de, l. 34.

2. l. 29, **la dernière victime.** Distinguish the meaning of **la dernière semaine** and **la semaine dernière.** Give other similar examples.

3. Give the masculine singular of: heureuse, froide, tranquille, dernière.

4. Beginning l. 6, transpose Paragraph 2 to the Present. To the Past Indefinite.

Rira bien qui rira le dernier.
He laughs best who laughs last.

58. LE ROI ALPHONSE

Certain roi qui régnait sur les rives du Tage,[1]
    Et que l'on[2] surnomma le Sage,
    Non parce qu'il était prudent,
    Mais parce qu'il était savant,
5 Alphonse fut surtout un habile astronome.
Il connaissait le ciel bien mieux que son royaume,
    Et quittait souvent son conseil,
    Pour la lune ou pour le soleil.

Un soir qu'il retournait à son observatoire,
10   Entouré de ses courtisans,
— Mes amis, disait-il, enfin j'ai lieu de croire,[3]
    Qu'avec mes nouveaux instruments
Je verrai cette nuit des hommes dans la lune.
    — Votre Majesté les verra,
15 Répondait-on; la chose est même trop commune;
    Elle[4] doit voir mieux que cela.

Pendant tous ces discours, un pauvre, dans la rue,
S'approche en demandant humblement, chapeau bas,[5]

---

[1] le Tage, *the Tagus, a river in Spain.*   [2] que l'on, l' *not translated.*
[3] j'ai lieu de croire, *I have reason to believe.*
[4] Elle, *refers to* Majesté, *which is feminine.*
[5] chapeau bas, *hat in hand.*

Quelques maravédis ; le roi ne l'entend pas,
Et sans le regarder, son chemin continue. 20
Le pauvre suit le roi, toujours tendant la main,
Toujours renouvelant sa prière importune ;
Mais les yeux vers le ciel, le roi, pour tout refrain,
Répétait, — Je verrai des hommes dans la lune.

 Enfin le pauvre le saisit 25
Par son manteau royal, et gravement lui dit :
— Ce n'est pas de là-haut, c'est des lieux[1] où nous sommes
 Que Dieu vous a fait souverain.
Regardez à vos pieds :[2] là vous verrez des hommes, 30
 Et des hommes manquant de pain.

Questionnaire

1. Qui règne sur les rives du Tage ? 2. Comment est-il surnommé ? 3. Pourquoi ? 4. Qui est un habile astronome ? 5. Que connaît-il mieux que son royaume ? 6. Pourquoi quitte-t-il souvent le conseil ? 7. Où retourne-t-il un soir ? 8. De qui est-il entouré ?

[1] des lieux, *depends upon* **souverain**.
[2] à vos pieds, *below you, at your feet.*

9. Que voit-il avec ses instruments? 10. Qui s'approche du roi? 11. Que demande-t-il au roi? 12. Le roi l'entend-il? 13. Est-ce que le roi le regarde? 14. Qui suit le roi? 15. Vers quoi sont tournés les yeux du roi? 16. Que répète le roi? 17. Qui le saisit par le manteau? 18. De quels lieux le roi est-il souverain? 19. Où le roi verra-t-il des hommes qui manquent de pain?

Traduction

1. King Alphonse was nicknamed the Wise. 2. He was learned but not prudent. 3. Above all, he was a clever astronomer. 4. He knew the heavens better than his kingdom. 5. One evening he was returning to his observatory. 6. He was surrounded by his courtiers. 7. To-night with my new instruments I shall see men in the moon. 8. A poor man approaches the king. 9. He asks for a few pennies. 10. The king keeps on his way without looking at him. 11. The poor man follows the king. 12. The king's eyes are toward heaven. 13. Will he see men in the moon? 14. The poor man took hold of him by the cloak. 15. God made you king of the earth. 16. Look down there, at your feet. 17. There you will see men who are in want of bread.

Pratique de Grammaire

1. Retell the story in simple prose.

2. Give the plural of: lieu, dieu, ciel, œil, manteau, roi.

3. Complete sensibly the following sentences: Ce roi était surnommé le Sage parce que —. Alphonse fut —. Le roi re-

tournait à —. Il quittait souvent le conseil pour —. Il avait lieu de croire que —. Je connais — mieux que la lune. Un pauvre m'a demandé hier —. Le pauvre mendiant m'a dit que —.

4. Use correctly in original sentences: avoir lieu de, connaître, savoir, là-haut, cette nuit, pendant, mieux.

A quelque chose malheur est bon.
It's an ill wind that blows nobody good.

59. COMMENT ZADIG CORRIGE IRAX

Il y avait autrefois à Babylone un jeune homme très juste, et très sage, nommé Zadig. Le roi en entendit parler et le nomma premier ministre.

Tous les jours, on se plaignait auprès de Zadig, d'un grand seigneur qui s'appelait Irax. C'était un homme qui n'était pas méchant, mais très vaniteux.

On n'osait jamais lui parler ou le contredire. Zadig entreprit de le corriger.

Il lui envoya de la part du roi, un maître de musique et vingt-quatre violinistes, six cuisiniers, et quatre domestiques qui ne devaient pas le quitter.

Le premier jour, quand Irax s'éveilla, le maître de musique entra, suivi des violinistes. On se mit à lui chanter, pendant deux heures, une chanson où ces paroles revenaient continuellement,

— Ah! combien monseigneur
Doit être content de lui-même!

Après cela, un domestique parla pendant trois quarts d'heure des qualités d'Irax. Puis on le conduisit à table au son des violons. Le repas dura trois heures.

Aussitôt qu'il ouvrit la bouche pour parler, un domestique dit: "Il aura raison!" Aussitôt qu'il prononça quatre mots un autre s'écria: "Il aura raison!"

Après le repas, on répéta la même chanson du matin. Cette première journée parut charmante à Irax. Il crut que le roi l'admirait et voulait le récompenser.

La seconde lui parut moins agréable, la troisième fut ennuyeuse, la quatrième fut insupportable, la cinquième fut un supplice.

Il était exaspéré d'entendre toujours chanter:

— Ah! combien monseigneur
Doit être content de lui-même!

Il écrivit au roi pour le supplier de rappeler ses domestiques, ses musiciens, ses cuisiniers. Il promit d'être désormais moins vaniteux. Et c'est ainsi que le sage Zadig corrigea le vaniteux Irax.

Questionnaire

1. Comment se nomme le jeune homme sage? 2. Comment s'appelle le grand seigneur? 3. Etait-il méchant ou vaniteux? 4. Qui entreprend de corriger le seigneur? 5. Qu'est-ce qu'il lui envoie? 6. Est-ce qu'on chantait? 7. Quelles paroles revenaient continuellement? 8. Combien de temps dure le repas? 9. Que dit toujours le domestique? 10. Irax est-il content? 11. Combien de jours est-ce qu'on chante la même chanson? 12. Irax est-il exaspéré? 13. Qu'est-ce qu'il écrit au roi? 14. Qu'est-ce qu'il promet? 15. Etes-vous vaniteux? 16. Avez-vous toujours raison?

Traduction

1. Zadig was a wise young man of Babylon. 2. Irax was very vain. 3. Zadig corrects the lord. 4. He sends a music director and twenty-four servants to Irax. 5. They sing continually. 6. Irax must be satisfied with himself. 7. He is always right. 8. I am not always right. 9. They sing for five whole days. 10. The fifth day is a torture. 11. Irax is no longer vain. 12. Henceforth he promises to be good.

Pratique de Grammaire

1. Trouvez dans le texte les **adjectifs** dont on forme les noms suivants : sagesse, vanité, contentement, ennui, charme, méchanceté.

2. Trouvez dans le texte les **verbes** dont on tire les noms suivants : promesse, chanson, supplice, prononciation, conduite, durée, contradiction, plainte, correction.

3. Quel est le contraire de : avoir raison, content, méchant, agréable, juste, jeune homme, sage, jour, suivi de, s'éveiller, entrer ?

4. Employez dans des phrases originales les mots que vous venez de donner.

5. Faites une liste des verbes de ce texte qui sont suivis de la préposition **de** devant l'infinitif et une autre liste de ceux qui sont toujours suivis de la préposition **à**.

6. Racontez l'histoire au Présent.

Contentement passe richesse.
Contentment is better than great riches.

60. COMMENT ZADIG CHOISIT UN TRÉSORIER AU ROI

Le roi désire avoir un trésorier honnête. Les siens jusqu'à présent l'ont volé. Il va en parler à Zadig.

— Je sais un moyen infaillible, lui répond celui-ci, de trouver un homme honnête. Le roi, enchanté, lui demande ce qu'il doit faire.

— Faites danser, dit Zadig, tous ceux qui se présenteront, et celui qui dansera avec le plus de légèreté, sera infailliblement le plus honnête homme.

— Vous vous moquez, dit le roi. Voilà une plaisante façon de choisir un trésorier. Alors vous prétendez que celui qui dansera le mieux sera le plus honnête et le plus habile ?

— Je ne vous affirme pas que ce sera le plus habile, reprit Zadig, mais je vous assure que ce sera le plus honnête.

Zadig a l'air si sûr de lui que le roi le croit. — Faites comme vous voulez, lui dit-il.

Au bout d'un mois tous ceux qui veulent être trésoriers du roi, vont en habit de soie légère, à l'antichambre du roi.

Il y en a soixante-quatre. Un huissier va les chercher l'un après l'autre. Il les fait passer dans une galerie où Zadig a étalé tous les trésors du roi. Là, il les laisse seuls quelques instants.

Lorsqu'ils sont tous arrivés dans le salon, on les fait danser. Ils ont tous la tête baissée, les épaules courbées, et dansent lourdement et sans grâce.

— Quels fripons ! dit tout bas Zadig.

Un seul danse avec agilité, la tête haute, le corps droit, le regard assuré.

— Ah! l'honnête homme, le brave homme! dit Zadig.

Le roi embrasse ce bon danseur et le nomme trésorier.

Tous les autres sont punis. Ils ont tellement rempli leurs poches dans la galerie qu'ils peuvent à peine marcher, et encore moins danser. Un seul avait été honnête.

Questionnaire

1. Qu'est-ce que le roi désire? 2. Qui l'a volé? 3. A qui en parle-t-il? 4. Qu'est-ce que Zadig en sait? 5. Qu'est-ce que le roi demande? 6. Qui sera le plus honnête homme? 7. Sera-t-il aussi le plus habile? 8. Est-ce que le roi croit Zadig? 9. Où vont tous les prétendus trésoriers? 10. Combien y en a-t-il? 11. Où Zadig a-t-il étalé les trésors du roi? 12. Est-ce que les hommes sont seuls dans la galerie? 13. De quoi ont-ils rempli leurs poches? 14. Comment dansent-ils? 15. Pourquoi? 16. Qui ne danse pas comme les autres? 17. Est-il honnête? 18. Est-ce que le roi le nomme trésorier? 19. Comment les autres sont-ils traités? 20. Etes-vous honnête? 21. Est-ce que l'honnêteté est à désirer?

Traduction

1. The king has a treasurer. 2. The treasurer is not honest. 3. The king wants to have an honest

treasurer. 4. Zadig knows a way. 5. He will ask the treasurers to dance. 6. Sixty-four men go to the king's reception-room. 7. Then they go into a gallery. 8. There Zadig has spread out the king's treasures. 9. The men are left alone. 10. Then they go to the drawing-room. 11. They dance very awkwardly. 12. They have filled their pockets. They cannot dance. 13. One man only dances gracefully. 14. That man is honest. 15. The king appoints him his treasurer. 16. Be honest! 17. Do you dance?

Pratique de Grammaire

1. *Modèle*, l. 34, **tellement**, adv. built on **telle**, fem. of **tel**. In the same way form the adverbs on the following adjectives: honnête, léger, habile, sûr, lourd, infaillible.

2. *Modèle*, l. 20, **un huissier va les chercher**, *an usher goes and gets them*. Notice that no preposition is used after **aller** with the following verb in the infinitive. In the same way, say in French: He goes and talks about it to Zadig. Go and find me an honest treasurer. He went and filled his pockets. Come and see me this evening. I will come and see you tomorrow. We went and saw her yesterday. They would have gone and presented themselves before the king.

3. What is the difference between **tous**, l. 22, and **tous**, l. 24?

4. *Modèle*, l. 25, **ils ont tous la tête baissée**, *they all have their heads lowered*. Note that in French the Definite Article is used of parts of the body. Note that the singular **la tête** is used in French where English uses the plural form. Following this model, say in French: We have our hands raised. My pupils have keen minds. We always keep our bodies erect. Those dancers have a straightforward look.

5. Practice the compound tenses of **se moquer,** l. 9, and **se présenter,** l. 6.

6. Transpose to the Imperfect tense: Je sais un moyen. Le roi le croit. Il va en parler. Ceux qui veulent être trésoriers. Ils vont à l'antichambre. Il les fait danser. Ils peuvent à peine marcher.

7. Transpose the above sentences to the Conditional, to the Pluperfect.

61. ZADIG ET SETOC

Un jour un marchand nommé Setoc se plaint à[1] Zadig.

Il a prêté de l'argent à un étranger en présence de deux témoins. Mais ces deux témoins sont morts et l'étranger ne veut plus rendre l'argent; il dit même que jamais on ne lui en a prêté.

— En quel endroit, demande Zadig, lui avez-vous donné l'argent?

— Sur une large pierre, répond le marchand, qui est au pied de la montagne.

— Cet homme est-il vif ou calme? dit Zadig.

— C'est un homme très vif.

— Eh bien, dit Zadig, je vais le faire venir, et je plaiderai votre cause devant le juge.

En effet l'étranger vient devant le tribunal.

Zadig dit au juge: — Je viens redemander à cet homme, au nom de Setoc, l'argent qu'on lui a prêté, et qu'il ne veut pas rendre.

— Avez-vous des témoins? dit le juge.

— Non, ils sont morts. Mais il reste[2] une large pierre

---

[1] se plaint à, *complains to.*
[2] il reste, *there remains.*

sur laquelle l'argent a été compté. Faites-la chercher,[1] s'il vous plaît. J'espère qu'elle portera témoignage.[2]

— Volontiers, répond le juge en riant. Au bout de quelques heures il dit à Zadig : — Eh bien, votre pierre n'est pas encore venue ?

L'étranger se met à rire, puis il dit : — Vous pouvez rester ici jusqu'à demain, mais la pierre n'arrivera pas. Elle est très loin d'ici, elle est trop lourde à porter.

— Je vous ai bien dit, s'écrie Zadig, que la pierre porterait témoignage. Puisque cet homme sait où elle est, il avoue donc que c'est sur elle que l'argent a été compté.

L'étranger est obligé de tout avouer. Le juge ordonne qu'il soit lié à la pierre. L'argent est bientôt compté et payé.

Questionnaire

1. Comment s'appelle le marchand ? 2. A qui a-t-il prêté de l'argent ? 3. Où a-t-il prêté l'argent à l'étranger ? 4. Où sont les témoins ? 5. Est-ce que l'étranger est vif ? 6. Qui plaide la cause de Setoc devant le juge ? 7. Y a-t-il des témoins ? 8. Est-ce que la pierre est un témoin ? 9. Pourquoi ? 10. La pierre est-elle loin ? 11. La pierre est-elle lourde ? 12. Qui dit que la pierre est loin et lourde ? 13. Est-ce que l'étranger sait où est la pierre ? 14. Alors est-ce que la pierre porte témoignage ? 15. Est-ce que Setoc a reçu son argent ? 16. Est-ce que Zadig est habile ? 17. Etes-vous habile ?

---

[1] Faites-la chercher, *have it brought here.*
[2] portera témoignage, *will bear witness.*

Traduction

1. Setoc has lent money.   2. He has lent it to a stranger.   3. There were two witnesses.   4. But he has no longer any witnesses.   5. They are dead.   6. The stranger will not return tne money.   7. He goes to Zadig.   8. He has given the money on a broad stone.   9. The stone is the only witness.   10. The stone is very far off.   11. It is also heavy.   12. The stranger knows where the stone is.   13. He has taken the money.   14. He is tied to the stone.   15. The money is soon paid.   16. Zadig is clever.

Pratique de Grammaire

1. *Modèle*, l. 5, **on ne lui en a jamais prêté**, *they have never lent him any*. Following this model, say in French: I have never lent you any. You have never lent me any. She has never lent us any. Have you never lent them any? Will they never lend them any?

2. *Modèle*, l. 28, **je vous l'ai bien dit**, *I told you so (it)*. Following this model, say in French: He told me so. She told us so. Did you tell him so? Didn't we tell you so? Would you have told them so?

3. *Modèle*, l. 12, **je vais le faire venir**, *I am going to send for him*. Following this model, say in French: He is going to send for me. We are going to send for them. They are going to send for us. Are you going to send for her? When is she going to send for me?

4. *Modèle*, l. 27, **elle est trop lourde à porter**, *it is too heavy to carry*. Following this model, say in French: This story is easy to read. These sentences are not difficult to say. This money is easy to count. These exercises are amusing to translate.

5. *Modèle*, l. 10, **cet homme**. Use **cet** correctly before three other nouns of this text.

6. Distinguish between **quel**, l. 6, and **laquelle**, l. 20, *which*; between **devant**, l. 14, and **avant**, *before*; between **puisque**, l. 29, and **depuis que**, *since*.

7. Act out this scene, supplying pertinent conversation to the limit of the ability of the class.

Comme on sème, on récolte.
As ye sow, so shall ye reap.

62. APRÈS LA BATAILLE

(Victor Hugo)

Mon père,[1] ce héros au sourire[2] si doux,
Suivi d'un seul housard qu'il aimait entre tous
Pour sa grande bravoure et pour sa haute taille,
Parcourait à cheval le soir d'une bataille
5 Le champ couvert de morts sur qui tombait la nuit.
Il lui sembla dans l'ombre entendre un faible bruit.
C'était un Espagnol de l'armée en déroute,
Qui se traînait sanglant sur le bord de la route,
Râlant, brisé, livide, et mort plus qu'à moitié,[3]
10 Et qui disait : — A boire, à boire, par pitié !
Mon père, ému, tendit à son housard fidèle
Une gourde de rhum qui pendait à sa selle,
Et dit : — Tiens, donne à boire à ce pauvre blessé !
Tout à coup, au moment où le housard baissé

---

[1] Mon père, *i.e.* Victor Hugo's father.

[2] au sourire, *with a smile;* notice the use of **à** for personal descriptions.

[3] plus qu'à moitié, *more than half.*

VICTOR HUGO.

Auteur du poème "Après la Bataille." — p. 170. Le plus illustre poète français du XIXème siècle et une des plus grandes personnalités de son temps. Né le 26 février, 1802; mort le 22 mai, 1885.

APRÈS LA BATAILLE

Se penchait vers lui, l'homme, une espèce de maure, 15
Saisit un pistolet qu'il étreignait encore,
Et vise au front mon père en criant : — *Caramba !*[1]
Le coup passa si près que le chapeau tomba,
Et que le cheval fit un écart[2] en arrière.
— Donne-lui tout de même à boire, dit mon père. 20

Questionnaire

1. Qui est l'auteur de ce poème? 2. De qui parle-t-il dans ce poème? 3. De qui était-il suivi? 4. Aimait-il ce housard? 5. Pourquoi l'aimait-il? 6. Etes-vous aimé pour votre bravoure? 7. Comment le housard parcourait-il le champ? 8. De quoi le champ était-il couvert? 9. Qu'est-ce qui tombait? 10. Qu'est-ce qu'il entendit? 11. Qui était-ce? 12. Où se trouvait l'Espagnol? 13. Etait-il mort? 14. Que disait-il? 15. Que faisait le père? 16. Où le housard avait-il sa gourde? 17. Que donne le housard au blessé? 18. Quelle espèce d'Espagnol était cet homme? 19. Que saisit-il? 20. Où vise-t-il? 21. Que crie-t-il? 22. Où passa le coup? 23. Qu'est-ce qui tomba? 24. Que dit le père de Victor Hugo? 25. Est-il généreux? 26. Y a-t-il maintenant de la guerre en Europe?

Traduction

1. My father was a hero. 2. His smile was so sweet. 3. He was in a great battle. 4. He loved

---

[1] Caramba, *the devil* (Spanish exclamation).
[2] fit un écart, *reared.*

APRÈS LA BATAILLE

a hussar, who was with him.   5. The hussar was tall and brave.   6. It was the eve of a battle.   7. Night was falling.   8. He heard a slight noise.   9. A Spaniard was dragging himself along the road. 10. His army was in retreat, and he was half dead. 11. He was thirsty.   12. For pity's sake give me something to drink.   13. My father gave the hussar his flask.   14. He bent down towards the wounded man.   15. The man was a Moor.   16. He seized a pistol.   17. He aimed at my father's head.   18. His hat fell off and his horse reared.   19. He gave him a drink just the same.   20. My father was generous. 21. In Europe many soldiers are also generous.

Pratique de Grammaire

1. Learn by heart the entire poem.

2. Retell the story in simple prose.

3. *Modèle*, l. 1, **ce héros au sourire si doux**, *that hero with so sweet a smile*. Note the descriptive use of the preposition **à**. Compare l. 12, **une gourde de rhum**, *a flask of rum*. Note the analytical use of the preposition **de**, to indicate contents and materials. Following these models, say in French: The lady in the silk dress. The man with the golden snuff-box. The hussar with the steel breastplate. The judge with the long white beard.

4. L. 1, **ce héros**. Why **ce**, not **cet**?

L. 2, what preposition is required after **suivi**?

L. 5, what preposition after **couvert**?

L. 2, distinguish between **entre** and **parmi**.

L. 1, give the feminine of **doux**.

L. 13, **donne**, why is the second person singular used?

L. 19, what is the opposite of **en arrière**?
L. 18, what is the opposite of **près**?

A qui veut, rien n'est impossible.
Where there is a will there is a way.

63. LES OIES ONT-ELLES DEUX PATTES

M. Fauchier, de Bâton-Rouge (Louisiana), attendait des amis à dîner. Il avait choisi lui-même dans sa basse-cour une oie superbe qui devait être la pièce de résistance du repas; il l'avait, en conséquence, spécialement recommandée à son cuisinier, l'honnête Pompée.

Le dîner commence. L'oie était bien cuite, et Pompée l'avait sortie du four pour la servir. En ce moment entre dans la cuisine l'avenante Dolly, la future de Pompée.

— Ah! dit-elle tout de suite en entrant, comme ça sent bon ici!

— Peuh! fait Pompée; mais regarde donc cette oie!

— Oh! la belle oie! continue Dolly en s'approchant du rôti et en le regardant avec des yeux pleins de convoitise; comme elle est grasse et appétissante! Elle doit être joliment bonne!

— Allons, allons! n'y touche pas. Ote-toi de là ... Ces bonnes choses ne sont pas pour nous. Retire-toi, te dis-je.

Mais l'agréable odeur du rôti donne à la jolie Dolly l'envie d'en manger, et aussitôt elle prie le cuisinier de lui donner une des cuisses. Mais l'honnête Pompée, d'abord, secoue la tête, et lui répond en riant: — Tu ne l'auras pas, dame Dolly, tu ne l'auras pas de moi. Mais à la fin, ne pouvant pas résister aux instances de son amie, il découpe la cuisse et la lui donne.

Tout à coup on demande l'oie pour la table. Pompée l'arrange ingénieusement dans le plat, et endossant son habit, il porte lui-même le rôti dans la salle à manger. Pendant ce temps-là, Dolly se régale de la cuisse coupée.

Après le départ de ses invités, M. Fauchier demande naturellement des explications à l'astucieux cuisinier. Il a grand'peur et il répond effrontément : — Les oies n'ont qu'une patte et une cuisse, et si vous en doutez, je vous le prouverai sur celles qui sont en vie . . . Et sans rien dire il le conduit dans la basse-cour et lui montre les oies endormies, perchées sur une patte.

— Vous voyez bien, maître, dit-il alors, qu'elles n'ont qu'une patte.

— Je vais te faire voir qu'elles en ont deux, réplique M. Fauchier : attends un peu.

Et s'approchant il se met à crier : — Hou ! hou ! hou ! A ce bruit, les oies, effarées, baissent l'autre pied et se sauvent vite sur leurs deux pattes.

— Eh bien ! maraud, dit-il en les montrant, les oies ont-elles deux pattes ? Que dis-tu maintenant ?

LES OIES ONT-ELLES DEUX PATTES 175

Pompée alors se campe devant son maître, et le regardant en face d'un air de triomphe:

— Voulez-vous me répondre, maître, dit-il, répondre à 50 une seule question? Oui? Eh bien, dites-moi la vérité: à table, avez-vous crié à l'oie, Hou! hou! hou! comme ici?

M. Fauchier rentre sans répliquer.

Questionnaire

1. Qui M. Fauchier attendait-il? 2. Qu'avait-il choisi? 3. A qui l'a-t-il recommandée? 4. Quelle espèce d'animal est l'oie? 5. Qui entre dans la cuisine? 6. Est-ce qu'elle aime l'oie? 7. Qu'est-ce qu'elle demande à Pompée? 8. Est-ce qu'il lui en donnera d'abord? 9. Est-ce que la belle Dolly insiste? 10. Que fait Pompée à la fin? 11. Qu'est-ce qu'on demande? 12. Où Pompée porte-t-il l'oie? 13. De quoi Dolly se régale-t-elle? 14. Qu'est-ce que M. Fauchier demande? 15. Que lui répond Pompée?

16. Comment prouvera-t-il que les oies n'ont qu'une cuisse? 17. Où conduit-il M. Fauchier? 18. Qu'est-ce qu'il lui montre? 19. Sur combien de pattes les oies sont-elles perchées? 20. Comment M. Fauchier fera-t-il voir à Pompée qu'elles ont deux pattes? 21. Que se met-il à crier? 22. Que font les oies à ce bruit? 23. Mais à table, est-ce que M. Fauchier a crié, Hou? 24. Pompée n'était-il pas très habile?

Traduction

1. M. Fauchier is having friends for dinner. 2. He chooses a fine goose for dinner. 3. The geese are in

the poultry yard. 4. He gives the goose to Pompey. 5. The cook puts the goose in the oven. 6. It is well roasted. 7. But Pompey has an intended, Dolly. 8. She enters the kitchen. 9. She smells the goose. 10. She touches it. 11. She likes the agreeable odor. 12. She likes the leg. 13. The honest Pompey cannot resist her. 14. He cuts off the leg. 15. She will eat it with pleasure. 16. Pompey puts the roast on the table. 17. M. Fauchier asks, "Where is the other leg?" 18. But geese have only one leg. 19. Pompey will prove it. 20. He will show him the geese in the yard. 21. They are asleep. 22. They are perched on one leg. 23. But M. Fauchier makes a great noise. 24. The birds are frightened. 25. Now they have two legs. 26. But M. Fauchier did not shout at table. 27. Perhaps the goose would then also have lowered the other leg.

Pratique de Grammaire

1. L. 1, **attendait des amis**. Where is the translation of the English preposition **for**?

L. 4, **recommandée**? Why feminine?

L. 5, **cuisinier**. Give the feminine form.

L. 6, **cuite**. Why feminine?

L. 7, **sortie**. Why feminine?

L. 34, **les oies n'ont qu'une patte**. Why is **pas** omitted?

2. Give the masculine singular of : honnête, belle, superbe, pleine, grasse, appétissante, bonne.

3. *Modèle*, l. 17, **n'y touche pas**, *do not touch it*. Note that **y** always stands for a preposition of place, **à**, **dans**, etc., plus an object noun or pronoun. Put **y** in place of the prepositional

phrase in the following: Il répond à ma question. Il le conduit dans la basse-cour. Il l'arrange dans le plat. Portez le rôti à la salle à manger. Mettez l'oie sur la table.

4. Décrivez en français ce que c'est qu'**une basse-cour ; une pièce de résistance ; la convoitise.**

5. Quels sont les devoirs d'un cuisinier? Que fait-il? Nommez encore des oiseaux! Comment peut-on résister aux instances d'une belle amie?

6. Quel est le contraire de: plein, belle, grasse, bonnes, en les montrant, en entrant, la question, endormi, ça sent bon?

Tout est bien qui finit bien.
All's well that ends well.

64. UNE OIE EST UN BIPÈDE

Le Maître (à ses élèves) : Je vous ai expliqué ce que c'est qu'un quadrupède. Donnez-moi des exemples de quadrupèdes.

Les Elèves: Un cheval . . . un chien . . . un éléphant.

Le Maître: Fort bien. Maintenant un bipède n'a pas quatre pieds, mais deux seulement comme, par exemple . . . Tenez! (montrant l'image d'une oie dans un tableau) voilà un bipède . . . Eh bien, Champarin, que suis-je? dites-moi!

Champarin (innocemment) : Monsieur, vous êtes une oie!

65. PASSABLEMENT INGÉNIEUX (I)

Deux jeunes Américains avaient dépensé tout leur argent à Paris. Ils étaient donc presque à sec[1] un jour qu'ils se trouvaient à Asnières à l'heure du dîner. En fouillant dans leurs poches, ils ne trouvaient, entre eux deux, que la misérable somme de cinq francs. Que faire? Après une consultation, ils forment un plan. Et, en conséquence, l'un d'eux entre dans un restaurant à la mode,[2] du village, et s'adressant au propriétaire lui-même:

— Pouvez-vous, lui dit-il, me *donner* un bon dîner?

— Certainement, monsieur, dit mon hôte, charmé de servir un étranger si distingué. Holà! François, Félix! Servez bien monsieur, et donnez-lui ce que nous avons de mieux.

Le dîner est bon, et notre Américain fait honneur au bon repas mis devant lui. Mais tout a une fin. Le moment arrive de payer.

— Monsieur, dit le jeune homme, en prenant son chapeau, votre dîner était fort bon, et je vous remercie bien de votre hospitalité.

Ce disant il se dirige vers la porte. L'hôte lui barre le passage.

— Mais vous n'avez pas payé! dit-il.

[1] à sec, *penniless*.
[2] à la mode, *fashionable*.

La Madeleine, Belle Église de Paris.
"Deux jeunes américains se trouvaient un jour à Paris." — p. 178, l. 1.

— Comment payer ? Vous m'avez dit que vous pouviez me donner un bon dîner. Je vous ai pris au mot.[1] Autrement j'aurais agi différemment. D'ailleurs je n'ai pas d'argent.

— Comment! Vous osez me dire cela! dit l'hôtelier furieux. Voici un sergent de ville, vous allez vous expliquer devant lui.

Le gardien de la paix arrive ; il écoute attentivement la plainte de l'aubergiste et la réplique du dîneur, puis finalement refuse d'intervenir. L'Américain sort triomphant.

(*à suivre.*)

Questionnaire

1. Qui était à Paris ? 2. Qu'est-ce qu'ils ont dépensé ? 3. Ont-ils beaucoup d'argent ? 4. Combien d'argent ont-ils tous les deux ? 5. Combien d'argent avez-vous ? 6. Qu'est-ce qu'ils forment ? 7. Où entre l'un d'eux ? 8. Que dit-il au propriétaire ? 9. Qu'est-ce que le propriétaire lui donne ? 10. Qu'est-ce qui arrive ? 11. Le jeune homme a-t-il de l'argent ? 12. Est-ce qu'il paye le dîner ? 13. Qu'est-ce qu'il a demandé au propriétaire ? 14. L'a-t-il pris au mot ? 15. Qui arrive ? 16. Est-ce que le gardien de la paix intervient ? 17. Comment sort l'Américain ?

Traduction

1. Two Americans are in Paris. 2. They had money. 3. But they have spent all their money. 4. They are at Asnières. 5. They have no money for dinner. 6. Have you any money for your dinner ? 7. They have only five francs in their pockets. 8. But

---

[1] pris au mot, *taken literally*.

they have a good plan.   9. One of the young men enters a restaurant.   10. The restaurant is stylish.   11. He says, "Can you give me a dinner?"   12. The stranger is distinguished-looking.   13. The proprietor is delighted.   14. The young man is served.   15. He has a good dinner.   16. But he has no money.   17. He cannot pay.   18. He takes his hat.   19. He thanks the proprietor.   20. The proprietor bars his way.   21. The young man has taken him at his word.   22. The proprietor calls a policeman.   23. But the policeman will not interfere.

Pratique de Grammaire

1. Form questions in French to which the following sentences may serve as proper answers:—

Ils avaient dépensé tout leur argent. Ils se trouvaient à Asnières à l'heure du dîner. Ils n'avaient que cinq francs. Ils entrent dans un restaurant. Il fait honneur au bon repas. Parce qu'il a trouvé un bon dîner.

2. *Modèle*, **je vous remercie de votre hospitalité**, *I thank you for your hospitality*. Using the same formula, say in French: He thanks me for the good cheer. Thank the hotel-keeper for having (to have) served you. Will she thank us for what we will give her?

3. Conjugate in all the persons:—

L. 32, vous allez vous expliquer devant lui.

L. 24, il se dirige vers la porte.

L. 17, il fait honneur au bon repas mis devant lui.

4. L. 9, **Pouvez-vous me donner** . . . Complete this sentence with several different objects.

5. Learn by heart: Comment! Certainement! Je vous

remercie bien. Je vous ai pris au mot. Voici. D'ailleurs. Je n'ai pas d'argent.

> Qui ne fait rien fait mal.
> *Nothing venture, nothing win.*

66. PASSABLEMENT INGÉNIEUX (II)
(*suite*)

Comme il était convenu, son ami entre à son tour, et fait à l'hôte précisément la même question : — Pouvez-vous me donner un bon dîner ?

Mon hôte n'a pas de doute que c'est encore un escroc, le compagnon de l'autre; et méditant une vengeance, il répond, les dents serrées, et avec un mauvais sourire :

— Certainement, mais oui, monsieur; mettez-vous là. Et il lui indique une chaise. Puis il sort, va chercher un seau plein d'eau, et revenant derrière l'Américain, il lui verse à l'improviste[1] tout le seau sur la tête.

Surpris, haletant sous ce déluge soudain, le jeune homme se lève, et avance menaçant vers son assaillant. Celui-ci riait de son bon tour :

— Ah ! Ah ! vous ne m'y prendrez pas deux fois avec la même attrape !

— Quelle attrape ? dit l'autre. Nous allons voir ! Et

---

[1] à l'improviste, *unexpectedly.*

appelant le gardien de la paix qui était encore là : — Arrêtez cet homme ; vous avez vu ce qu'il m'a fait !

— Mais c'est un fripon, dit l'aubergiste. Il veut, comme l'autre, bien dîner à mes dépens ; il n'a pas le sou pour payer.

— Et qu'est-ce que ceci ? dit l'Américain en faisant luire à ses yeux la pièce de cinq francs qu'il avait réservée pour cette occasion. Quant à l'autre, je ne sais ce que vous voulez dire.

L'hôtelier, ahuri de ce dénouement inattendu et comprenant son tort, se voit sur le chemin de la prison. Il préfère donner au jeune homme cinq cents francs pour le dédommager de son bain forcé et de ses habits gâtés. C'est ainsi que les deux amis reçurent un bon dîner et de plus une bonne somme d'argent.

Questionnaire

1. Qui entre à son tour ?   2. Quelle question pose-t-il au propriétaire ?   3. Est-ce un escroc ?   4. Que lui répond le propriétaire ?   5. Que va-t-il chercher ?   6. Que verse-t-il sur le jeune Américain ?   7. Que fait le jeune homme ?   8. Est-ce qu'il est surpris ?   9. Est-ce une attrape ?   10. Qui le jeune homme appelle-t-il ?   11. Le jeune homme a-t-il de l'argent pour payer ?   12. Que montre-t-il au gardien de la paix ?   13. Pourquoi le propriétaire est-il ahuri ?   14. Où se voit-il ?   15. Que donne-t-il au jeune homme ?   16. Pourquoi lui donne-t-il de l'argent ?   17. Qu'est-ce que les amis reçurent ?   18. Etaient-ils habiles ?

Traduction

1. His friend enters the same restaurant. 2. He asks the same questions. 3. He says, "Can you *give* me a good dinner?" 4. The proprietor has his doubts. 5. The young man is a swindler. 6. His companion was also a swindler. 7. The proprietor gives him a chair. 8. He pours a pail of water over his head. 9. The young man is surprised. 10. He calls a policeman. 11. He says, "Arrest that man!" 12. The proprietor has poured a pail of water over my head. 13. The young man is a scoundrel. 14. The proprietor thinks he is penniless. 15. He will dine at the proprietor's expense. 16. But the young man has money. 17. He has a five-franc piece. 18. This is an unexpected ending. 19. The proprietor gives the young man five hundred francs. 20. The young man has an unexpected bath. 21. His clothes are spoiled. 22. The Americans have a good dinner. 23. They have also received a good sum of money.

Pratique de Grammaire

1. Make questions in French that may be answered by the following sentences: Surpris, haletant, le jeune homme se lève. Il veut bien dîner. Il préfère lui donner cinq cents francs. Il se voit sur le chemin de la prison.

2. l. 35, **c'est ainsi que** . . . , *that is the way.* Make four more original sentences beginning with this expression.

3. *Modèle*, l. 19, **vous ne m'y prendrez pas,** *you will not catch me at it.* Following this model, say in French: I catch you at it. Did they catch you at it? He has caught her at it. We have caught each other at it.

4. Distinguish between the use of **fois,** l. 19, and **temps,** l. 20, p. 178, for *time*.

5. Learn by heart: Certainement. Mettez-vous là! Nous allons voir. Qu'est-ce que ceci? Je ne sais ce que vous voulez dire.

Ce n'est pas l'habit qui fait le moine.
Clothes do not make the man.

67. JEUX ET RÉCRÉATIONS

Récit : Le Langage des Parapluies

Comme il y a un langage des fleurs, il y a aussi un langage très clair et très significatif des parapluies. Jugez donc si ce n'est pas vrai. Pour commencer par le commencement : Si vous en mettez un dans le porte-parapluie, c'est signe qu'il va changer de propriétaire. L'ouvrir soudainement dans la rue veut dire que vous allez crever l'œil à quelqu'un ; et le fermer subitement, que vous allez jeter bas un chapeau ou deux.

Contemplez ce groupe : c'est un homme qui porte un parapluie au-dessus de la femme ; si c'est l'homme qui attrape l'eau que déverse le parapluie, c'est qu'il fait encore la cour à la dame ; mais, si au contraire, c'est l'homme que couvre le parapluie aux dépens de sa compagne, soyez sûr que le maire a passé par là[1] et que le mariage est un fait accompli.

Faire tourner son parapluie autour de soi, indique

---

[1] passé par là, *done his work.* The mayor performs marriage ceremonies in France.

qu'on veut se rendre désagréable aux gens qu'on rencontre. Le porter à angle droit sous le bras, est une menace pour quiconque vous suit. En déposer un de coton à côté d'un de soie, rappelle le proverbe : " Echanger n'est pas voler."[1]

Vous achetez un parapluie ! Bonhomme, va ! mais peu malin.[2] Vous prêtez votre parapluie ; vous êtes vraiment généreux, mais d'une générosité qui frise l'imbécillité.[3] Rendre un parapluie prêté . . . qu'est-ce que cela peut bien vouloir dire ? Cela ne s'est jamais fait, jamais, au grand jamais ! Un ami vous offre son parapluie, il vous prie de le prendre disant : " Faites-moi ce plaisir." Ne le croyez pas, il ment ! Partager son parapluie dehors avec un ami signifie que tous deux seront trempés. Enfin, prendre son parapluie le matin, quand le temps menace, c'est un présage certain que le temps s'éclaircira.

[1] Echanger n'est pas voler, *a fair exchange is no robbery.*
[2] Bonhomme, va, mais peu malin, *you may be a good fellow, but you are very foolish.*
[3] frise l'imbécillité, *borders on foolishness.*

Proverbes

Les petits ruisseaux font les grandes rivières.
Great oaks from little acorns grow.

Une hirondelle ne fait pas le printemps.
One swallow doesn't make a summer.

Il n'y a pas de fumée sans feu.
There's never smoke without fire.

L'arbre se connaît au fruit.
A tree is known by its fruit.

Petit à petit l'oiseau fait son nid.
Little by little the bird builds its nest.

Tel maître, tel valet.
Like master, like man.

Tant va la cruche à l'eau qu'à la fin elle se brise.
So oft goes the pitcher to the well that it breaks.

De la main à la bouche se perd souvent la soupe.
There's many a slip 'twixt the cup and the lip.

A cheval donné il ne faut point regarder la bouche.
You must not look a gift horse in the mouth.

Pas à pas on va bien loin.
Great haste makes great waste.

Ce n'est que le premier pas qui coûte.
Only the beginning is hard.

Mettre la charrue devant les bœufs.
To put the cart before the horse.

La nuit, tous les chats sont gris.
At night all cats are gray.

Il ne faut pas éveiller le chat qui dort.
Let sleeping dogs lie.

Mieux vaut tard que jamais.
Better late than never.

A quelque chose malheur est bon.
Every cloud has a silver lining.

Aide-toi, le ciel t'aidera.
Heaven helps them that help themselves.

Le soleil luit pour tout le monde.
The sun shines on the just and on the unjust.

Temps perdu ne se rattrape jamais.
The mill does not turn with the water that has passed.

Le temps, c'est de l'argent.
Time is money.

Tout ce qui brille n'est pas or.
All that glitters is not gold.

A bon chat, bon rat.
Tit for tat.

Vouloir c'est pouvoir.
Where there is a will there is a way.

Paris n'a pas été fait en un jour.
Rome was not builded in a day.

Il n'est rien tel que balai neuf.
A new broom sweeps clean.

A l'œuvre on connaît l'ouvrier.
By their works shall ye know them.

Petite chose aide souvent.
Little strokes fell great oaks.

Quelques Rébus

P

G

bien s-uvent
J'ai soupé bien souvent sans eau.

AAAAAAA faire

sera D

peu

D D D D D D
Cette affaire sera décidée sous peu.

Un Souhait pour nos Elèves

L C

Pas C

IIIIII

Ver

Elle s'est surpassée cet hiver.

Phrases renfermant des difficultés de Prononciation

Quoi! six sous ci, quoi! six sous ça;
Quoi! six sous ces saucissons là!

Ciel! Si ceci se sait, ses soins sont sans succès.

Ton tuteur te tentait, tu tentais ton tuteur,
Tes traits trop tentatifs tentaient trop ton tentateur.

Didon dîna, dit-on, du dos d'un dodu dindon.

Cet attentat tenta ce titan terrible.

Quand un cordier cordant veut accorder sa corde,
Pour sa corde accorder, trois cordons il accorde ;
Mais si l'un des cordons de la corde décorde,
Le cordier décordant fait décorder la corde.

Charades

Dans l'alphabet on trouve mon premier ;
Dans la musique on trouve mon dernier ;
Mais où trouver, aujourd'hui, mon entier ?
Mot : A-mi.

Si mon premier est précieux,
Mon dernier habite les cieux ;
Et mon tout est délicieux.
Mot : Or-ange.

Innocent quadrupède en conservant ma tête,
Liquide je deviens dès que je perds ma tête.
Mot : Veau, eau.

Si d'effroi je vous glace en gardant tête et queue,
Je fais toujours plaisir en perdant tête et queue.
Mot : Mort, or.

On me mange avec ma tête,
On me gobe sans ma tête.
Mot : Bœuf, œuf.

Epigramme contre Colbert

Venance	France	fert	Colbert
G	D	K	Paris

Explication. — J'ai souvenance des souffrances qu'a souffert Paris sous Colbert.

L'Alphabet Parlant

L'histoire de la belle Hélène.

L, N, N, E, O, P, Y ; E, L, N, I, A, E, T, L, V ; L, I, A, V, Q ; L, I, A, M, E ; L, I, A, E, T, M, E, E, A, I ; L, I, A, E, T, H, T ; L, I, A, V, G, T ; L, I, A, R, I, T ; E, L, I, E, D, C, D.

Traduction. — Hélène est née au pays grec ; et Hélène y a été élevée ; elle y a vécu ; elle y a aimé ; elle y a été aimée et haïe, elle y a été achetée ; elle y a végété ; elle y a hérité ; et elle y est décédée.

LA MARSEILLAISE.

1ᵉʳ couplet.

Allons, enfants de la patrie,
Le jour de gloire est arrivé !
Contre nous de la tyrannie
L'étendard sanglant est levé ! (*bis*)
Entendez-vous, dans les campagnes,
Mugir ces féroces soldats ?
Ils viennent jusque dans nos bras
Égorger nos fils, nos compagnes !
Aux armes, citoyens ! formez vos bataillons !
Marchons ! (*bis*) qu'un sang impur abreuve nos sillons !

— Rouget de Lisle (1792)

68. ALPHA ET OMÉGA

Le Commencement et la Fin

Enfant, à votre première heure,
On vous sourit, et vous pleurez !
Puissiez-vous, quand vous partirez,
Sourire, alors que l'on vous pleure !
— Hugo.

LE VERBE AUXILIAIRE
Avoir

PRESENT INFINITIVE
(INFINITIF PRÉSENT)
avoir, *to have*

PRESENT PARTICIPLE
(PARTICIPE PRÉSENT)
ayant, *having*

PRESENT INDICATIVE
(INDICATIF PRÉSENT)
j'ai, *I have, am having*
tu as
il or **elle a**
nous avons
vous avez
ils or **elles ont**

IMPERFECT
(IMPARFAIT)
j'avais, *I had, was having, used*
tu avais   [*to have*
il or **elle avait**
nous avions
vous aviez
ils or **elles avaient**

PAST DEFINITE
(PASSÉ DÉFINI)
j'eus, *I had*
tu eus
il or **elle eut**
nous eûmes
vous eûtes
ils or **elles eurent**

PAST INFINITIVE
(INFINITIF PASSÉ)
avoir eu, *to have had*

PAST PARTICIPLE
(PARTICIPE PASSÉ)
eu, *had*

PAST INDEFINITE
(PASSÉ INDÉFINI)
j'ai eu, *I have had, I had*
tu as eu
il or **elle a eu**
nous avons eu
vous avez eu
ils or **elles ont eu**

PLUPERFECT
(PLUSQUEPARFAIT)
j'avais eu, *I had had*
tu avais eu
il or **elle avait eu**
nous avions eu
vous aviez eu
ils or **elles avaient eu**

PAST ANTERIOR
(PASSÉ ANTÉRIEUR)
j'eus eu, *I had had*
tu eus eu
il or **elle eut eu**
nous eûmes eu
vous eûtes eu
ils or **elles eurent eu**

LE VERBE AUXILIAIRE

FUTURE
(FUTUR)

j'aurai, *I shall have*
tu auras
il or elle aura
nous aurons
vous aurez
ils or elles auront

FUTURE ANTERIOR
(FUTUR ANTÉRIEUR)

j'aurai eu, *I shall have had*
tu auras eu
il or elle aura eu
nous aurons eu
vous aurez eu
ils or elles auront eu

PRESENT CONDITIONAL
(CONDITIONNEL PRÉSENT)

j'aurais, *I should have*
tu aurais
il or elle aurait
nous aurions
vous auriez
ils or elles auraient

PAST CONDITIONAL
(CONDITIONNEL PASSÉ)

j'aurais eu, *I should have had*
tu aurais eu
il or elle aurait eu
nous aurions eu
vous auriez eu
ils or elles auraient eu

PRESENT SUBJUNCTIVE
(SUBJONCTIF PRÉSENT)
(that) I (may) have, etc.

que j'aie
que tu aies
qu'il or qu'elle ait
que nous ayons
que vous ayez
qu'ils (elles) aient

PAST SUBJUNCTIVE
(SUBJONCTIF PASSÉ)
(that) I (may) have had, etc.

que j'aie eu
que tu aies eu
qu'il or qu'elle ait eu
que nous ayons eu
que vous ayez eu
qu'ils (elles) aient eu

IMPERFECT SUBJUNCTIVE
(SUBJONCTIF IMPARFAIT)
(that) I might have, (that) I had, etc.

que j'eusse
que tu eusses
qu'il or qu'elle eût
que nous eussions
que vous eussiez
qu'ils (elles) eussent

PLUPERFECT SUBJUNCTIVE
(SUBJONCTIF PLUSQUEPARFAIT)
(that) I (might) have had, etc.

que j'eusse eu
que tu eusses eu
qu'il or qu'elle eût eu
que nous eussions eu
que vous eussiez eu
qu'ils (elles) eussent eu

IMPERATIVE
(IMPÉRATIF)

SINGULAR
(SINGULIER)

PLURAL
(PLURIEL)

ayons, *let us have*

aie, *have* (*thou*)
(qu'il ait, *let him have*)

ayez, *have*
(qu'ils aient, *let them have***)**

LE VERBE AUXILIAIRE

Être

PRESENT INFINITIVE
(INFINITIF PRÉSENT)
être, *to be*

PAST INFINITIVE
(INFINITIF PASSÉ)
avoir été, *to have been*

PRESENT PARTICIPLE
(PARTICIPE PRÉSENT)
étant, *being*

PAST PARTICIPLE
(PARTICIPE PASSÉ)
été, *been*

PRESENT INDICATIVE
(INDICATIF PRÉSENT)

je suis, *I am*
tu es
il or elle est
nous sommes
vous êtes
ils or elles sont

PAST INDEFINITE
(PASSÉ INDÉFINI)

j'ai été, *I have been, I was*
tu as été
il or elle a été
nous avons été
vous avez été
ils or elles ont été

IMPERFECT
(IMPARFAIT)

j'étais, *I was, used to be, etc.*
tu étais
il or elle était
nous étions
vous étiez
ils or elles étaient

PLUPERFECT
(PLUSQUEPARFAIT)

j'avais été, *I had been*
tu avais été
il or elle avait été
nous avions été
vous aviez été
ils or elles avaient été

PAST DEFINITE
(PASSÉ DÉFINI)

je fus, *I was*
tu fus
il or elle fut
nous fûmes
vous fûtes
ils or elles furent

FUTURE
(FUTUR)

je serai, *I shall be*
tu seras
il or elle sera
nous serons
vous serez
ils or elles seront

PRESENT CONDITIONAL
(CONDITIONNEL PRÉSENT)

je serais, *I should be*
tu serais
il or elle serait
nous serions
vous seriez
ils or elles seraient

PRESENT SUBJUNCTIVE
(SUBJONCTIF PRÉSENT)
(*that*) *I* (*may*) *be*

que je sois
que tu sois
qu'il or qu'elle soit
que nous soyons
que vous soyez
qu'ils (elles) soient

PAST ANTERIOR
(PASSÉ ANTÉRIEUR)

j'eus été, *I had been*
tu eus été
il or elle eut été
nous eûmes été
vous eûtes été
ils or elles eurent été

FUTURE ANTERIOR
(FUTUR ANTÉRIEUR)

j'aurai été, *I shall have been*
tu auras été
il or elle aura été
nous aurons été
vous aurez été
ils or elles auront été

PAST CONDITIONAL
(CONDITIONNEL PASSÉ)

j'aurais été, *I should have been*
tu aurais été
il or elle aurait été
nous aurions été
vous auriez été
ils or elles auraient été

PAST SUBJUNCTIVE
(SUBJONCTIF PASSÉ)
(*that*) *I* (*may*) *have been*

que j'aie été
que tu aies été
qu'il or qu'elle ait été
que nous ayons été
que vous ayez été
qu'ils (elles) aient été

LE VERBE AUXILIAIRE

IMPERFECT SUBJUNCTIVE (SUBJONCTIF IMPARFAIT)	PLUPERFECT SUBJUNCTIVE (SUBJONCTIF PLUSQUEPARFAIT)
(that) I (might) be	*(that) I (might) have been*
que je fusse	que j'eusse été
que tu fusses	que tu eusses été
qu'il or qu'elle fût	qu'il or qu'elle eût été
que nous fussions	que nous eussions été
que vous fussiez	que vous eussiez été
qu'ils or qu'elles fussent	qu'ils or qu'elles eussent été

IMPERATIVE (IMPÉRATIF)

SINGULAR (SINGULIER)	PLURAL (PLURIEL)
	soyons, *let us be*
	soyez, *be*
sois, *be*	
(qu'il soit, *let him be*)	(qu'ils soient, *let them be*)

LES QUATRE CONJUGAISONS

First　　　　　　　　　　　　　　**Second**
Verbs in -**er**　　　　　　　　　　Verbs in -**ir**

PRESENT INFINITIVE

porter, *to carry*　　　　　　　　**finir,** *to finish*

PAST INFINITIVE

avoir porté, *to have carried*　　**avoir fini,** *to have finished*

PRESENT PARTICIPLE

portant, *carrying*　　　　　　　**finissant,** *finishing*

PAST PARTICIPLE

porté, *carried*　　　　　　　　　**fini,** *finished*

PRESENT INDICATIVE

je porte, *I carry, am carrying,*	**je finis,** *I finish, am finishing,*
tu portes　　　　　　[*do carry*	**tu finis**　　　　　　[*do finish*
il porte	**il finit**
nous portons	**nous finissons**
vous portez	**vous finissez**
ils portent	**ils finissent**

PAST INDEFINITE

j'ai porté, *I have carried*	**j'ai fini,** *I have finished*
tu as porté	**tu as fini**
il a porté	**il a fini**
nous avons porté	**nous avons fini**
vous avez porté	**vous avez fini**
ils ont porté	**ils ont fini**

IMPERFECT INDICATIVE (*Descriptive Past*)

je portais, *I was carrying*	**je finissais,** *I was finishing*
tu portais	**tu finissais**
il portait	**il finissait**
nous portions	**nous finissions**
vous portiez	**vous finissiez**
ils portaient	**ils finissaient**

Third	Fourth
Verbs in -oir	Verbs in -re

INFINITIF PRÉSENT

recevoir, *to receive*	**rendre**, *to give back*

INFINITIF PASSÉ

avoir reçu	**avoir rendu**

PARTICIPE PRÉSENT

recevant	**rendant**

PARTICIPE PASSÉ

reçu	**rendu**

INDICATIF PRÉSENT

je reçois	je rends
tu reçois	tu rends
il reçoit	il rend
nous recevons	nous rendons
vous recevez	vous rendez
ils reçoivent	ils rendent

PASSÉ INDÉFINI

j'ai reçu	j'ai rendu
tu as reçu	tu as rendu
il a reçu	il a rendu
nous avons reçu	nous avons rendu
vous avez reçu	vous avez rendu
ils ont reçu	ils ont rendu

IMPARFAIT DE L'INDICATIF

je recevais	je rendais
tu recevais	tu rendais
il recevait	il rendait
nous recevions	nous rendions
vous receviez	vous rendiez
ils recevaient	ils rendaient

First	Second
PLUPERFECT	
j'avais porté, *I had carried*	j'avais fini, *I had finished*
tu avais porté	tu avais fini
il avait porté	il avait fini
nous avions porté	nous avions fini
vous aviez porté	vous aviez fini
ils avaient porté	ils avaient fini
PAST DEFINITE (*Preterite or Narrative Past*)	
je portai, *I carried*	je finis, *I finished*
tu portas	tu finis
il porta	il finit
nous portâmes	nous finîmes
vous portâtes	vous finîtes
ils portèrent	ils finirent
PAST ANTERIOR	
j'eus porté, *I had carried*	j'eus fini, *I had finished*
tu eus porté	tu eus fini
il eut porté	il eut fini
nous eûmes porté	nous eûmes fini
vous eûtes porté	vous eûtes fini
ils eurent porté	ils eurent fini
FUTURE	
je porterai, *I shall carry*	je finirai, *I shall finish*
tu porteras	tu finiras
il portera	il finira
nous porterons	nous finirons
vous porterez	vous finirez
ils porteront	ils finiront
FUTURE ANTERIOR	
j'aurai porté, *I shall have*	j'aurai fini, *I shall have finished*
tu auras porté [*carried*	tu auras fini
il aura porté	il aura fini
nous aurons porté	nous aurons fini
vous aurez porté	vous aurez fini
ils auront porté	ils auront fini

LES QUATRE CONJUGAISONS

Third	Fourth

PLUSQUEPARFAIT DE L'INDICATIF

j'avais reçu	j'avais rendu
tu avais reçu	tu avais rendu
il avait reçu	il avait rendu
nous avions reçu	nous avions rendu
vous aviez reçu	vous aviez rendu
ils avaient reçu	ils avaient rendu

PASSÉ DÉFINI

je reçus	je rendis
tu reçus	tu rendis
il reçut	il rendit
nous reçûmes	nous rendîmes
vous reçûtes	vous rendîtes
ils reçurent	ils rendirent

PASSÉ ANTÉRIEUR

j'eus reçu	j'eus rendu
tu eus reçu	tu eus rendu
il eut reçu	il eut rendu
nous eûmes reçu	nous eûmes rendu
vous eûtes reçu	vous eûtes rendu
ils eurent reçu	ils eurent rendu

FUTUR

je recevrai	je rendrai
tu recevras	tu rendras
il recevra	il rendra
nous recevrons	nous rendrons
vous recevrez	vous rendrez
ils recevront	ils rendront

FUTUR ANTÉRIEUR

j'aurai reçu	j'aurai rendu
tu auras reçu	tu auras rendu
il aura reçu	il aura rendu
nous aurons reçu	nous aurons rendu
vous aurez reçu	vous aurez rendu
ils auront reçu	ils auront rendu

LES QUATRE CONJUGAISONS

First	Second

PRESENT CONDITIONAL

je porterais, *I should carry*	je finirais, *I should finish*
tu porterais	tu finirais
il porterait	il finirait
nous porterions	nous finirions
vous porteriez	vous finiriez
ils porteraient	ils finiraient

PAST CONDITIONAL

j'aurais porté, *I should have*	j'aurais fini, *I should have*
tu aurais porté [*carried*	tu aurais fini [*finished*
il aurait porté	il aurait fini
nous aurions porté	nous aurions fini
vous auriez porté	vous auriez fini
ils auraient porté	ils auraient fini

PRESENT SUBJUNCTIVE

que je porte, *that I may carry*	que je finisse, *that I may finish*
que tu portes	que tu finisses
qu'il porte	qu'il finisse
que nous portions	que nous finissions
que vous portiez	que vous finissiez
qu'ils portent	qu'ils finissent

PAST SUBJUNCTIVE

que j'aie porté, *that I may have*	que j'aie fini, *that I may have*
que tu aies porté [*carried*	que tu aies fini [*finished*
qu'il ait porté	qu'il ait fini
que nous ayons porté	que nous ayons fini
que vous ayez porté	que vous ayez fini
qu'ils aient porté	qu'ils aient fini

IMPERFECT SUBJUNCTIVE

que je portasse, *that I might*	que je finisse, *that I might finish*
que tu portasses [*carry*	que tu finisses
qu'il portât	qu'il finît
que nous portassions	que nous finissions
que vous portassiez	que vous finissiez
qu'ils portassent	qu'ils finissent

Third   Fourth

CONDITIONNEL PRÉSENT

je recevrais	je rendrais
tu recevrais	tu rendrais
il recevrait	il rendrait
nous recevrions	nous rendrions
vous recevriez	vous rendriez
ils recevraient	ils rendraient

CONDITIONNEL PASSÉ

j'aurais reçu	j'aurais rendu
tu aurais reçu	tu aurais rendu
il aurait reçu	il aurait rendu
nous aurions reçu	nous aurions rendu
vous auriez reçu	vous auriez rendu
ils auraient reçu	ils auraient rendu

SUBJONCTIF PRÉSENT

que je reçoive	que je rende
que tu reçoives	que tu rendes
qu'il reçoive	qu'il rende
que nous recevions	que nous rendions
que vous receviez	que vous rendiez
qu'ils reçoivent	qu'ils rendent

SUBJONCTIF PASSÉ

que j'aie reçu	que j'aie rendu
que tu aies reçu	que tu aies rendu
qu'il ait reçu	qu'il ait rendu
que nous ayons reçu	que nous ayons rendu
que vous ayez reçu	que vous ayez rendu
qu'ils aient reçu	qu'ils aient rendu

IMPARFAIT DU SUBJONCTIF

que je reçusse	que je rendisse
que tu reçusses	que tu rendisses
qu'il reçût	qu'il rendît
que nous reçussions	que nous rendissions
que vous reçussiez	que vous rendissiez
qu'ils reçussent	qu'ils rendissent

First	Second

PLUPERFECT SUBJUNCTIVE

que j'eusse porté, *that I might*	que j'eusse fini, *that I might have*
que tu eusses porté [*have carried*	que tu eusses fini [*finished*
qu'il eût porté	qu'il eût fini
que nous eussions porté	que nous eussions fini
que vous eussiez porté	que vous eussiez fini
qu'ils eussent porté	qu'ils eussent fini

IMPERATIVE

porte, *carry*	finis, *finish*
(qu'il porte)	(qu'il finisse)
portons	finissons
portez	finissez
(qu'ils portent)	(qu'ils finissent)

Third	Fourth

PLUSQUEPARFAIT DU SUBJONCTIF

que j'eusse reçu	que j'eusse rendu
que tu eusses reçu	que tu eusses rendu
qu'il eût reçu	qu'il eût rendu
que nous eussions reçu	que nous eussions rendu
que vous eussiez reçu	que vous eussiez rendu
qu'ils eussent reçu	qu'ils eussent rendu

IMPÉRATIF

reçois	**rends**
(qu'il reçoive)	(qu'il rende)
recevons	**rendons**
recevez	**rendez**
(qu'ils reçoivent)	(qu'ils **rendent**)

LISTE DES VERBES

Infinitif	Part. Prés.	Part. Passé	Indic. Prés.	Passé Déf.

1. porter

porter   portant   porté   je porte   je portai

Complete conjugation, pp. 198–204.

2. finir

finir   finissant   fini   je finis   je finis

Complete conjugation, pp. 198–204.

3. recevoir

recevoir   recevant   reçu   je reçois   je reçus

Complete conjugation, pp. 199–205.

4. rendre

rendre   rendant   rendu   je rends   je rendis

Complete conjugation, pp. 199–205.

5. acquérir, *to acquire*

acquérir   acquérant   acquis   j'acquiers   j'acquis
j'acquerrai   j'acquérais   j'ai acquis   acquiers   que j'acquisse
j'acquerrais   j'acquière   *etc.*

Pres. ind. acquiers, -quiers, -quiert, -quérons, -quérez, -quièrent
Pres. subj. acquière, -quières, -quière, -quérions, -quériez, -quièrent

Also: conquérir.

6. aller, *to go*

aller   allant   allé   je vais   j'allai
j'irai   j'allais   je suis allé   va   que j'allasse
j'irais   que j'aille   *etc.*

Pres. ind. vais, vas, va, allons, allez, vont
Pres. subj. aille, ailles, aille, allions, alliez, **aillent**

Infinitif	Part. Prés.	Part. Passé	Indic. Prés.	Passé Déf.

7. assaillir, *to assail*

assaillir	assaillant	assailli	j'assaille	j'assaillis
j'assaillirai	j'assaillais	j'ai assailli	assaille	que j'assail-
j'assaillirais	que j'assaille	*etc.*		lisse

Pres. ind. assaille, -sailles, -saille, -saillons, -saillez, -saillent

Also: **tressaillir.**

8. asseoir, *to seat*

asseoir	**asseyant**	**assis**	**j'assieds**	**j'assis**
j'assiérai	j'asseyais	je suis assis	assieds	que j'assisse
j'assiérais	que j'asseye	(*passive*) *etc.*		

Pres. ind. assieds, assieds, assied, asseyons, asseyez, asseyent

9. boire, *to drink*

boire	**buvant**	**bu**	**je bois**	**je bus**
je boirai	je buvais	j'ai bu	bois	que je busse
je boirais	que je boive	*etc.*		

Pres. ind. bois, bois, boit, buvons, buvez, boivent
Pres. subj. boive, boives, boive, buvions, buviez, boivent

10. bouillir, *to boil*

bouillir	**bouillant**	**bouilli**	**je bous**	**je bouillis**
je bouillirai	je bouillais	j'ai bouilli	bous	que je bouil-
je bouillirais	que je bouille	*etc.*		lisse

Pres. ind. bous, bous, bout, bouillons, bouillez, bouillent

11. conclure, *to conclude*

conclure	**concluant**	**conclu**	**je conclus**	**je conclus**
je conclurai	je concluais	j'ai conclu	conclus	que je con-
je conclurais	que je con-	*etc.*		clusse
	clue			

Pres. ind. conclus, -clus, -clut, -cluons, -cluez, -cluent

| Infinitif | Part. Prés. | Part. Passé | Indic. Prés. | Passé Déf. |

12. conduire, *to lead*

conduire	conduisant	conduit	je conduis	je conduisis
je conduirai	je conduisais	j'ai conduit	conduis	que je condui-
je conduirais	que je con-	*etc.*		sisse
	duise			

Pres. ind. conduis, -duis, -duit, -duisons, -duisez, -duisent

Also: construire, détruire, instruire, induire, introduire, produire, reduire, déduire.

13. connaître, *to know*

connaître	connaissant	connu	je connais	je connus
je connaîtrai	je connais-	j'ai connu	connais	que je connusse
	sais			
je connaîtrais	que je con-	*etc.*		
	naisse			

Pres. ind. connais, -nais, -naît, -naissons, -naissez, -naissent

14. coudre, *to sew*

coudre	cousant	cousu	je couds	je cousis
je coudrai	je cousais	j'ai cousu	couds	que je cou-
je coudrais	que je couse	*etc.*		sisse

Pres. ind. couds, couds, coud, cousons, cousez, cousent

15. courir, *to run*

courir	courant	couru	je cours	je courus
je courrai	je courais	j'ai couru	cours	que je cou-
je courrais	que je coure	*etc.*		russe

Pres. ind. cours, cours, court, courons, courez, courent

Also its compounds: **accourir, parcourir, secourir, concourir.**

LISTE DES VERBES

Infinitif	Part. Prés.	Part. Passé	Indic. Prés.	Passé Déf.

16. couvrir, *to cover*

couvrir	couvrant	couvert	je couvre	je couvris
je couvrirai	je couvrais	j'ai couvert	couvre	que je cou-
je couvrirais	que je couvre	*etc.*		vrisse

Pres. ind. couvre, couvres, couvre, couvrons, couvrez, couvrent

Also: **découvrir, recouvrir, offrir, souffrir, ouvrir.**

17. craindre, *to fear*

craindre	craignant	craint	je crains	je craignis
je craindrai	je craignais	j'ai craint	crains	que je crai-
je craindrais	que je craigne	*etc.*		gnisse

Pres. ind. crains, crains, craint, craignons, craignez, craignent

Also: **contraindre, plaindre,** *and verbs in* -eindre, *and* -oindre.

18. croire, *to believe*

croire	croyant	cru	je crois	je crus
je croirai	je croyais	j'ai cru	crois	que je crusse
je croirais	que je croie	*etc.*		

Pres. ind. crois, crois, croit, croyons, croyez, croient

19. croître, *to grow*

croître	croissant	crû	je croîs	je crûs
je croîtrai	je croissais	j'ai crû	croîs	que je crûsse
je croîtrais	que je croisse	*etc.*		

Pres. ind. croîs, croîs, croît, croissons, croissez, croissent

Also its compound: **décroître.**

Infinitif	Part. Prés.	Part. Passé	Indic. Prés.	Passé Déf.

20. cueillir, *to gather*

cueillir	cueillant	cueilli	je cueille	je cueillis
je cueillerai	je cueillais	j'ai cueilli	cueille	que je cueil-
je cueillerais	que je cueille	*etc.*		lisse

Pres. ind. cueille, cueilles, cueille, cueillons, cueillez, cueillent

Also its compounds : accueillir, recueillir.

21. devoir, *to owe, must*

devoir	devant	dû	je dois	je dus
je devrai	je devais	j'ai dû	dois	que je dusse
je devrais	que je doive	*etc.*		

Pres. ind. dois, dois, doit, devons, devez, doivent
Pres. subj. doive, doives, doive, devions, deviez, doivent

22. dire, *to say*

dire	disant	dit	je dis	je dis
je dirai	je disais	j'ai dit	dis	que je disse
je dirais	que je dise	*etc.*		

Pres. ind. dis, dis, dit, disons, dites, disent

Also its compounds: redire, contredire, médire, prédire, dédire, interdire, *except, in pres. ind. 2d plural and imperative*, contredire, etc., *have* contredisez, médisez, *etc.*

23. dormir, *to sleep*

dormir	dormant	dormi	je dors	je dormis
je dormirai	je dormais	j'ai dormi	dors	que je dor-
je dormirais	que je dorme	*etc.*		misse

Pres. ind. dors, dors, dort, dormons, dormez, dorment

Also its compounds: endormir, rendormir, *and* servir, mentir, partir, sortir, *etc.*

Infinitif	Part. Prés.	Part. Passé	Indic. Prés.	Passé Déf.

24. écrire, *to write*

écrire	écrivant	écrit	j'écris	j'écrivis
j'écrirai	j'écrivais	j'ai écrit	écris	que j'écrivisse
j'écrirais	que j'écrive	*etc.*		

Pres. ind. écris, écris, écrit, écrivons, écrivez, écrivent

Also : décrire, inscrire, proscrire, prescrire, souscrire.

25. envoyer, *to send*

envoyer	envoyant	envoyé	j'envoie	j'envoyai
j'enverrai	j'envoyais	j'ai envoyé	envoie	que j'envoy-
j'enverrais	que j'envoie	*etc.*		asse

Pres. ind. envoie, envoies, envoie, envoyons, envoyez, envoient

26. faire, *to do, make*

faire	faisant	fait	je fais	je fis
je ferai	je faisais	j'ai fait	fais	que je fisse
je ferais	que je fasse	*etc.*		

Pres. ind. fais, fais, fait, faisons, faites, font

Also its compounds : contrefaire, défaire, refaire, satisfaire.

27. falloir, *to be necessary*

falloir	——	fallu	il faut	il fallut
il faudra	il fallait	il a fallu		qu'il fallût
il faudrait	qu'il faille	*etc.*		

Used only impersonally.

28. fuir, *to flee*

fuir	fuyant	fui	je fuis	je fuis
je fuirai	je fuyais	j'ai fui	fuis	que je fuisse
je fuirais	que je fuie	*etc.*		

Pres. ind. fuis, fuis, fuit, fuyons, fuyez, fuient

Also its compound : s'enfuir.

| Infinitif | Part. Prés. | Part. Passé | Indic. Prés. | Passé Déf. |

29. joindre, *to join*

joindre	joignant	joint	je joins	je joignis
je joindrai	je joignais	j'ai joint	joins	que je joi-
je joindrais	que je joigne	*etc.*		gnisse

Pres. ind. joins, joins, joint, joignons, joignez, joignent

Also its compounds: **rejoindre, conjoindre, disjoindre, adjoindre** *and verbs in* -aindre *and* -eindre.

30. lire, *to read*

lire	lisant	lu	je lis	je lus
je lirai	je lisais	j'ai lu	lis	que je lusse
je lirais	que je lise	*etc.*		

Pres. ind. lis, lis, lit, lisons, lisez, lisent.

Also its compounds: **relire, élire.**

31. maudire, *to curse*

maudire	maudissant	maudit	je maudis	je maudis
je maudirai	je maudis-sais	j'ai maudit	maudis	que je maudisse
je maudirais	que je maudisse	*etc.*		

Pres. ind. maudis, -dis, -dit, -dissons, -dissez, -dissent

32. mettre, *to put*

mettre	mettant	mis	je mets	je mis
je mettrai	je mettais	j'ai mis	mets	que je misse
je mettrais	que je mette	*etc.*		

Pres. ind. mets, mets, met, mettons, mettez, mettent

Also its compounds: **admettre, compromettre, permettre, promettre, remettre, soumettre, transmettre.**

LISTE DES VERBES

| Infinitif | Part. Prés. | Part. Passé | Indic. Prés. | Passé Déf. |

33. moudre, *to grind*

moudre	moulant	moulu	je mouds	je moulus
je moudrai	je moulais	j'ai moulu	mouds	que je mou-
je moudrais	que je moule	*etc.*		lusse

Pres. ind. mouds, mouds, moud, moulons, moulez, moulent

34. mourir, *to die*

mourir	mourant	mort	je meurs	je mourus
je mourrai	je mourais	je suis mort	meurs	que je mou-
je mourrais	que je meure	*etc.*		russe

Pres. ind. meurs, meurs, meurt, mourons, mourez, meurent
Pres. subj. meure, meures, meure, mourions, mouriez, meurent

35. mouvoir, *to move*

mouvoir	mouvant	mû	je meus	je mus
je mouvrai	je mouvais	j'ai mû	meus	que je musse
je mouvrais	que je meuve	*etc.*		

Pres. ind. meus, meus, meut, mouvons, mouvez, meuvent
Pres. subj. meuve, meuves, meuve, mouvions, mouviez, meuvent

Also its compound: **émouvoir**.

36. naître, *to be born*

naître	naissant	né	je nais	je naquis
je naîtrai	je naissais	je suis né	nais	que je na-
je naîtrais	que je naisse	*etc.*		quisse

Pres. ind. nais, nais, naît, naissons, naissez, naissent

37. nuire, *to injure*

nuire	nuisant	nui	je nuis	je nuisis
je nuirai	je nuisais	j'ai nui	nuis	que je nui-
je nuirais	que je nuise	*etc.*		sisse

Pres. ind. nuis, nuis, nuit, nuisons, nuisez, nuisent

Also: **luire**.

| Infinitif | Part. Prés. | Part. Passé | Indic. Prés. | Passé Déf. |

38. ouvrir, *to open*

ouvrir	ouvrant	ouvert	j'ouvre	j'ouvris
j'ouvrirai	j'ouvrais	j'ai ouvert	ouvre	que j'ouvrisse
j'ouvrirais	que j'ouvre	*etc.*		

Pres. ind. ouvre, ouvres, ouvre, ouvrons, ouvrez, ouvrent

Also its compounds: **entr'ouvrir, rouvrir,** *and* **offrir, souffrir, couvrir, découvrir.**

39. paraître, *to appear*

paraître	paraissant	paru	je parais	je parus
je paraîtrai	je paraissais	j'ai paru	parais	que je parusse
je paraîtrais	que je paraisse	*etc.*		

Pres. ind. parais, parais, paraît, paraissons, paraissez, paraissent

Also its compounds: **apparaître, disparaître, reparaître,** *and* **connaître, paître.**

40. partir, *to set out, to leave*

partir	partant	parti	je pars	je partis
je partirai	je partais	je suis parti	pars	que je partisse
je partirais	que je parte	*etc.*		

Pres. ind. pars, pars, part, partons, partez, partent

Also its compounds: **départir, repartir,** *and* **mentir, dormir, sentir, sortir, servir.**

41. peindre, *to paint*

peindre	peignant	peint	je peins	je peignis
je peindrai	je peignais	j'ai peint	peins	que je peignisse
je peindrais	que je peigne	*etc.*		

Pres. ind. peins, peins, peint, peignons, peignez, peignent

Also: **atteindre, éteindre, étreindre,** *and verbs in* -oindre *and* -aindre.

Infinitif	Part. Prés.	Part. Passé	Indic. Prés.	Passé Déf.

42. plaire, *to please*

| plaire | plaisant | plu | je plais | je plus |

Like taire, *except 3d pers. sing. of pres. ind.*, il plaît.

Also déplaire.

43. pleuvoir, *to rain*

pleuvoir	pleuvant	plu	il pleut	il plut
il pleuvra	il pleuvait	il a plu		qu'il plût
il pleuvrait	qu'il pleuve	*etc.*		

Impersonal only.

44. pourvoir, *to provide*

pourvoir	pourvoyant	pourvu	je pourvois	je pourvus
je pourvoirai	je pourvoyais	j'ai pourvu	pourvois	que je pourvusse
je pourvoirais	que je pourvoie	*etc.*		

Pres. ind. and subj. like voir.

Also prévoir, *except in past def.*, je prévis.

45. pouvoir, *to be able*

pouvoir	pouvant	pu	je peux *or* puis	je pus
je pourrai	je pouvais	j'ai pu		que je pusse
je pourrais	que je puisse	*etc.*		

Pres. ind. peux *or* puis, peux, peut, pouvons, pouvez, peuvent

Infinitif	Part. Prés.	Part. Passé	Indic. Prés.	Passé Déf.

46. prendre, *to take*

prendre	prenant	pris	je prends	je pris
je prendrai	je prenais	j'ai pris	prends	que je prisse
je prendrais	que je prenne	*etc.*		

Pres. ind. prends, prends, prend, prenons, prenez, prennent

Also its compounds: **apprendre, comprendre, désapprendre, méprendre, entreprendre, reprendre, surprendre.**

47. résoudre, *to resolve*

résoudre	résolvant	résolu	je résous	je résolus
je résoudrai	je résolvais	j'ai résolu	résous	que je résolusse
je résoudrais	que je résolve	*etc.*		

Pres. ind. résous, -sous, -soud, -solvons, -solvez, -solvent

Also: **absoudre,** *except past part.* absous, *and past def. wanting.*

48. rire, *to laugh*

rire	riant	ri	je ris	je ris
je rirai	je riais	j'ai ri	ris	que je risse
je rirais	que je rie	*etc.*		

Pres. ind. ris, ris, rit, rions, riez, rient

Also its compound: **sourire.**

49. savoir, *to know*

savoir	sachant	su	je sais	je sus
je saurai	je savais	j'ai su	sache	que je susse
Je saurais	que je sache	*etc.*		

Pres. ind. sais, sais, sait, savons, savez, savent

Imperative: sache, sachons, sachez

Infinitif	Part. Prés.	Part. Passé	Indic. Prés.	Passé Déf.

50. servir, *to serve*

servir	servant	servi	je sers	je servis
je servirai	je servais	j'ai servi	sers	que je servisse
je servirais	que je serve	*etc.*		

Pres. ind. sers, sers, sert, servons, servez, servent

Also: **desservir** *and* **dormir, sentir, partir,** *etc.*

51. suffire, *to suffice*

suffire	suffisant	suffi	je suffis	je suffis
je suffirai	je suffisais	j'ai suffi	suffis	que je suffisse
je suffirais	que je suffise	*etc.*		

Pres. ind. suffis, suffis, suffit, suffisons, suffisez, suffisent

52. suivre, *to follow*

suivre	suivant	suivi	je suis	je suivis
je suivrai	je suivais	j'ai suivi	suis	que je suivisse
je suivrais	que je suive	*etc.*		

Pres. ind. suis, suis, suit, suivons, suivez, suivent

Also its compounds: **poursuivre, s'ensuivre.**

53. taire, *to be silent*

taire	taisant	tu	je tais	je tus
je tairai	je taisais	j'ai tu	tais	que je tusse
je tairais	que je taise	*etc.*		

Pres. ind. tais, tais, tait, taisons, taisez, taisent

Also: **plaire,** *except circumflex in pres. ind. 3d sing.*

54. vaincre, *to conquer*

vaincre	vainquant	vaincu	je vaincs	je vainquis
je vaincrai	je vainquais	j'ai vaincu	vaincs	que je vainquisse
je vaincrais	que je vainque	*etc.*		

Pres. ind. vaincs, vaincs, vainc, vainquons, vainquez, vainquent

Also: **convaincre.**

55. valoir, *to be worth*

valoir	valant	valu	je vaux	je valus
je vaudrai	je valais	j'ai valu	vaux	que je valusse
je vaudrais	que je vaille	*etc.*		

Pres. ind. vaux, vaux, vaut, valons, valez, valent

Pres. subj. vaille, vailles, vaille, valions, valiez, vaillent

Also its compound: **équivaloir.**

56. venir, *to come*

venir	venant	venu	je viens	je vins
je viendrai	je venais	je suis venu	viens	que je vinsse
je viendrais	que je vienne	*etc.*		

Pres. ind. viens, viens, vient, venons, venez, viennent

Also its compounds: **convenir, devenir, redevenir, parvenir, prévenir, provenir, revenir, se souvenir.**

Also **tenir** *and its compounds:* **appartenir, contenir, maintenir, obtenir, retenir, soutenir.**

57. vêtir, *to clothe*

vêtir	vêtant	vêtu	je vêts	je vêtis
je vêtirai	je vêtais	j'ai vêtu	vêts	que je vêtisse
je vêtirais	que je vête	*etc.*		

Pres. ind. vêts, vêts, vêt, vêtons, vêtez, vêtent

Also its compound: **revêtir.**

Infinitif	Part. Prés.	Part. Passé	Indic. Prés.	Passé Déf.

58. vivre, *to live*

vivre	vivant	vécu	je vis	je vécus
je vivrai	je vivais	j'ai vécu	vis	que je vécusse
je vivrais	que je vive	*etc.*		

Pres. ind. vis, vis, vit, vivons, vivez, vivent

59. voir, *to see*

voir	voyant	vu	je vois	je vis
je verrai	je voyais	j'ai vu	vois	que je visse
je verrais	que je voie	*etc.*		

Pres. ind. vois, vois, voit, voyons, voyez, voient
Pres. subj. voie, voies, voie, voyions, voyiez, voient

Also its compounds: entrevoir, revoir.

60. vouloir, *to will, wish*

vouloir	voulant	voulu	je veux	je voulus
je voudrai	je voulais	j'ai voulu	——	que je vou-
je voudrais	que je veuille	*etc.*		lusse

Pres. ind. veux, veux, veut, voulons, voulez, veulent
Pres. subj. veuille, veuilles, veuille, voulions, vouliez, veuillent

VOCABULAIRE

The numbers refer to the Verb List, page 206.

à, to, at, in, towards.
abasourdi, -e, astounded, surprised.
abondant, -e, abundant.
d'abord, first, at first.
abri, *m.*, shelter.
abricot, *m.*, apricot.
absence, *f.*, absence.
absent, -e, absent.
accabler (1), to overwhelm.
accepter (1), to accept.
accompli, -e, accomplished.
accorder (1), to grant, tune.
accourir (15), to run up.
accrocher (1), to hang up.
acheter (1), to buy.
acier, *m.*, steel.
acteur, *m.*, actor.
actuellement, at present, now.
adieu, *m.*, farewell.
admettre (32), to admit.
admiration, *f.*, admiration.
admirer (1), to admire.
admis, -e, *past part. of* admettre (32), admitted.
adresser (1), to address; s'—, to turn to, speak to.
affaire, *f.*, business, affair, things.
affirmati-f, -ve, affirmative.
affirmer (1), to attest, state.
âge, *m.*, age.

agilité, *f.*, agility.
agir (2), to act; s'— de, to be a question of.
agiter (1), to wave, agitate, shake.
agneau, -x, *m.*, lamb.
agréable, agreeable.
ahuri, -e, bewildered.
aide, *m.*, help, aid.
aide-de-camp, *m.*, military attendant.
aider (1), to help.
ailleurs, elsewhere; d'—, besides.
aimer (1), to love, like; — mieux, to prefer, like better.
ainsi, thus, in this way, so.
air, *f.*, air, appearance; d'un —, with an air of; avoir l'— de, to seem.
aise, *f.*, joy, ease; être fort —, to be glad.
ajouter (1), to add.
ajuster (1), to adjust, put on.
alarmé, -e, alarmed.
Allemagne, *f.*, Germany.
allemand, -e, German.
aller (6), to go, fit; allons, come, well! now then! let us go; allons donc! not at all, the idea! s'en —, to go away.

221

all-ons, -ez, *pres. indic. of* **aller** (6), go, are going.
alors, then, at that time.
alpha, *the first letter of the Greek alphabet,* the beginning.
alphabet, *m.,* alphabet.
altéré, -e, changed.
améliorer (1), to improve.
américain, -e, American.
Amérique, *f.,* America.
ami, *m.,* **amie,** *f.,* friend, love, dear.
amicalement, in a friendly manner, as friends.
amour, *m.,* love.
amuser (1), to amuse; **s'—,** have a good time.
an, *m.,* year.
âne, *m.,* donkey, ass.
anémique, anæmic.
anglais, -e, English, Englishman.
angle, *m.,* angle, corner.
animal, animaux, *m.,* animal.
année, *f.,* year.
annoncer (1), to announce.
anse, *f.,* handle.
antichambre, *f.,* anteroom.
antre, *m.,* den.
apercevoir (3), to perceive, see.
aperçoi-s, -t, -vent, *pres. indic. of* **apercevoir** (3), perceive.
apothicaire, *m.,* druggist.
apparaître (39), to appear.
apparence, *f.,* appearance; **en —,** apparently.
appartement, *m.,* apartment.
appartenir (56), to belong.
appartien-s, -t, -nent, *pres. indic. of* **appartenir** (56), belongs.
appeler (1), to call; **s'—,** to be called, named.
appétissant, -e, appetizing.
applaudir (2), to applaud.
appointements, *m. pl.,* salary.
apporter (1), to bring in, bring to.
apprendre (46), to learn, teach.
apprenti, *m.,* apprentice.
s'apprêter (1), to get ready.
appris, *past part. of* **apprendre** (46), learned.
approche, *f.,* approach.
approcher (1), to approach; **s'— de,** to approach.
après, after.
après-midi, *f.,* afternoon.
aqua, *f.* (*Latin*), water.
arbre, *m.,* tree.
arc, *m.,* bow.
argent, *m.,* money, silver.
aristocratie, *f.,* aristocracy.
armer (1), to arm.
arracher (1), to pull out, snatch.
arrangement, *m.,* arrangement.
arranger (1), to settle, arrange.
arrêter (1), to stop, arrest; **s'—,** to stop.
arriver (1), to arrive.
arsenic, *m.,* arsenic.
article, *m.,* article.
aspect, *m.,* sight, aspect.
assaillant, *m.,* assailant.

assemblée, *f.*, gathering, assembly.
assembler (1), to gather.
s'**asseoir** (8), to sit down.
s'**asseyant**, *pres. part. of* s'asseoir (8), sitting down.
assey-ons, -ez, -ent, *pres. indic. of* **asseoir** (8), sit down.
assez, enough, quite.
assied-s, *pres. indic. of* **asseoir** (8), sit down.
assiégé, -e, besieged.
assiette, *f.*, plate.
assis, -e, *past part. of* asseoir (8), seated, sitting.
assistant, *m.*, bystander, onlooker.
assister (1), to help, be present at.
assurer (1), to assure.
astronome, *m.*, astronomer.
astucieu-x, -se, astute, sly.
âtre, *m.*, fireplace.
attacher (1), to attach, fasten.
atteindre (41), to reach, attain, hit.
attendant, en —, meanwhile.
attendre (4), to wait for.
attentat, *m.*, attempt.
attention, *f.*, attention; **faire — à**, to pay attention to.
attentivement, attentively.
attirer (1), to attract, draw.
attrape, *f.*, trick, trap.
attraper (1), to catch.
attrister (1), to sadden.
au, to the, at the (*contraction of preposition* **à** *and def. art.* **le**).

auberge, *f.*, inn, tavern.
aucun, -e, none (**ne** *before verb*).
aujourd'hui, to-day.
aumône, *f.*, alms; **faire l'—**, to give alms.
auprès, close to, in the presence of, with.
aur-ai, -as, -a, -ons, -ez, -ont, *fut. of* **avoir**, shall have.
aussi, also, as, and so.
aussitôt, at once, immediately; **— que**, as soon as.
autant, as much, so much; **— que**, as much as.
autour, around.
autre, other.
autrefois, formerly.
avancer (1), to advance; **s'—**, to come forward.
avant, before (*of time*).
avantage, *m.*, advantage, profit.
avare, *m.*, miser.
avec, with.
avenant, -e, pretty, good-looking.
aveu, *m.*, confession.
aveuglé, -e, blinded.
avis, *m.*, advice, opinion.
s'**aviser** (1), to decide, think of.
avocat, *m.*, lawyer.
avoine, *f.*, oats.
avoir, to have; **après —**, after having; **— à**, to have to; **— faim**, to be hungry; **il y a**, there is, there are.
avouer (1), to acknowledge, confess.

avril, *m.*, April.
ayez, have; **ayons**, let us have, *imperative of* **avoir**.
azur, -e, azure, blue.

baguette, *f.*, stick.
bain, *m.*, bath.
baisser (1), to lower, stoop down.
balbutier (1), to stammer.
balcon, *m.*, balcony.
balle, *f.*, bullet, ball.
bande, *f.*, band.
banque, *f.*, bank.
banquier, *m.*, banker.
barbe, *f.*, beard.
baromètre, *m.*, barometer.
barrer (1), to bar.
bas, -se, low, soft; d'en —, from below; au —, at the bottom; tout —, in a low voice.
basse-cour, *f.*, poultry yard.
bataille, *f.*, battle.
bâton, *m.*, club, stick; **donner des coups de —,** to beat with a club.
battre (4), to beat; se —, to fight.
beau, belle, beautiful; **il fait —,** the weather is pleasant.
beaucoup, much, many, a great deal.
bébé, *m. and f.*, baby.
belle. *f.*, beautiful, fine.
berceau, *m.*, cradle.
berger, *m.*, shepherd.
besoin, *m.*, need; avoir —, to have need of.
bête, *f*, animal, beast.

bien, good, well, very; eh —, indeed! well! — des, many.
bien, *m.*, wealth, goods.
bienfaisance, *f.*, kindness.
bientôt, soon.
billet, *m.*, ticket, note; — de demi-place, half-fare ticket.
bipède, *m.*, two-legged animal, biped.
bis, brown; pain —, hardtack, coarse army bread.
biscuit, *m.*, biscuit, cracker.
bise, *f.*, north wind, winter.
bœuf, *m.*, ox.
bois, *m.*, wood, — de Boulogne, a famous park of Paris.
boîte, *f.*, box; — à craie, chalk-box.
boiteu-x, -se, lame, limping.
bon, -ne, good, fine.
bonbon, *m.*, candy, goody.
bonhomme, *m.*, fellow.
bonjour, *m.*, good-day, hello, good-by.
bonne, *f.*, servant.
bonnet, *m.*, cap.
bord, *m.*, edge, deck, side; au — de, alongside, at the edge.
borgne, blind in one eye.
bouche, *f.*, mouth.
bouchonner (1), to rub down.
boue, *f.*, mud.
bouffon, *m.*, clown, jester.
bouger (1), to move.
bourse, *f.*, purse, money.
bout, *m.*, end; au — de, at the end of.
bouteille, *f.*, bottle.
boutique, *f.*, store, shop.

branche, *f.*, branch, twig.
bras, *m.*, arm.
brave, brave, good.
bravement, bravely.
brebis, *f.*, sheep.
Bretagne, *f.*, Brittany, a province in northwest France.
Breton, -ne, Breton.
brigand, *m.*, brigand, robber.
brillant, -e, brilliant, gleaming.
brosse, *f.*, brush, board-eraser.
se **brouiller** (1), to fall out with, quarrel with.
bruit, *m.*, noise, rumor.
brûler (1), to burn.
brun, -e, brown.
bureau, -x, *m.*, office, desk.
but, *m.*, mark, goal.

ça, that (*contraction of* **cela**).
cabinet, *m.*, workroom, study.
cacher (1), to hide.
cacheter (1), to seal.
café, *m.*, coffee; restaurant.
cahier, *m.*, note-book.
caissier, *m.*, cashier.
cale, *f.*, hold.
calme, calm, quiet.
calmer (1), to calm.
camarade, *m.*, comrade, chum.
campagnard, *m.*, countryman.
camper (1), to place, strike an attitude.
canon, *m.*, cannon; **coup de —,** cannon shot.
canton, *m.*, canton, district, county.
capitaine, *m.*, captain.
car, for, because, since.
caractère, *m.*, character.

Carcassonne, a mediæval fortified town of Southern France.
cardinal, *m.*, Cardinal, officer of the church.
caresser (1), to caress.
cargaison, *f.*, cargo.
carnassi-er, -ère, flesh-eating, carnivorous.
cas, *m.*, case.
casier, *m.*, locker, pigeon-hole.
casquette, *f.*, cap.
casser (1), to break.
cassette, *f.*, casket.
cause, *f.*, cause.
causeur, *m.*, talker.
cavalier, *m.*, horseman, rider.
ce, cette, cet, *pl.* **ces,** *dem. adj.*, this, that, these, those.
ce, *pron.*, this, that, he, she, it, they.
ce qui, ce que, that which, what.
ceci, this.
ceinture, *f.*, belt.
cela, that; **c'est pour — même,** that is just why; **c'est —,** that's right.
célèbre, celebrated.
celle, -s, *dem. pron.*, this one, that one, the one, these, those.
celui, *dem. pron.*, this one, that one, the one.
cent, hundred.
centime, *m.*, centime ($\frac{1}{100}$ *of a franc,* $\frac{1}{5}$ *of a cent*).
cependant, nevertheless, notwithstanding.
cercueil, *m.*, coffin.

cerf, *m.*, deer.
cerise, *f.*, cherry.
certes, certainly.
ceux, those, these, the ones; *dem. pron.*, — ci, these; — là, those.
chacun, -e, each one.
chagrin, *m.*, grief, vexation.
chaise, *f.*, chair.
chambre, *f.*, room.
champ, *m.*, field; en plein —, in the open field.
champion, *m.*, champion, fighter.
chance, *f.*, luck, opportunity.
changer (1), to change; — de logement, to change quarters.
chanson, *f.*, song.
chansonnette, *f.*, little song.
chanter (1), to sing.
chapeau, *m.*, hat, cap; — bas, hat in hand.
chaque, each, every.
charade, *f.*, charade.
chargé, -e, coated, loaded.
charger (1), to load, burden, charge.
charlatan, *m.*, quack, humbug.
charmant, -e, charming.
charmer (1), to charm.
chasser (1), to chase, drive.
chasseur, *m.*, hunter.
chat, *m.*, cat.
Châtanooga, Chattanooga, a city in Tennessee.
château, *m.*, castle.
chaud, -e, warm; il fait —, it is warm.
chauve, bald.
chef, *m.*, chief.
chemin, *m.*, road; — de fer, railroad.
cheminée, *f.*, fireplace, mantel-piece.
cher, chère, dear, expensive.
chercher (1), to look for, search; aller —, to go and get; envoyer —, to send for.
chère, *f.*, fare.
cheval, chevaux, horse; foire aux chevaux, horse fair.
cheveux, *m.*, hair.
chez, at, with, at the house of.
chien, *m.*, dog.
chimie, *f.*, chemistry.
Chine, *f.*, China.
chlorure, *f.*, chloride.
choisir (2), to choose.
choquer (1), to shock.
chose, *f.*, thing; grand'—, very much.
ciel, *m.*, heaven, sky.
cieux (*pl. of* ciel), *m.*, sky, heaven, heavens.
cigale, *f.*, grasshopper.
cimetière, *m.*, cemetery.
cinq, five.
cinquante, fifty.
cinquième, fifth.
ciseaux, *m. pl.*, scissors.
citoyen, *m.*, citizen.
clair, -e, clear.
clarté, *f.*, light.
clef, *f.*, key.
clou, *m.*, nail.
cochon, *m.*, pig.
cœur, *m.*, heart.
coin, *m.*, corner.

colère, *f.*, anger.
colonel, *m.*, colonel.
combattant, *m.*, fighter, opponent.
combien, how much, how many; à —, at what price.
comédie, *f.*, comedy.
commander (1), to command, order.
comme, as, like, how.
commencement, *m.*, beginning.
commencer (1), to begin, commence.
comment, what, how!
commerce, *m.*, commerce, business.
commis, *m.*, clerk.
commis, *past part. of* commettre (32), committed.
commune, *f.*, commune.
communicati-f, -ve, communicative.
compagne, *f.*, companion.
compagnon, *m.*, companion.
compatriote, *m.*, compatriot, fellow-countryman.
complet, filled, full, complete.
compliment, *m.*, compliment.
composer (1), to compose.
comprendre (46), to understand.
compris, *past part. of* comprendre (46), understood.
compte, *m.*, account, tale; à ce —, according to this.
compter (1), to count.
comptoir, *m.*, counter, office.
concevoir (3), to conceive.
conclu, -e, concluded.

conçoi-s, -t, *pres. indic. of* concevoir (3), conceives.
condoléance, *f.*, condolence.
conducteur, *m.*, conductor, driver.
conduire (12), to lead.
confier (1), to confide, intrust.
confiture, *f.*, preserves.
confus, -e, confused.
connaiss-ais, -ait, etc., *imperf. of* connaître (13), knew.
connaître (13), to know, be acquainted with.
connu, -e, known, granted.
conseil, *m.*, board, counsel.
conseiller, *m.*, councilor.
conseiller (1), to advise.
consentir (40), to consent.
conséquence, *f.*, consequence; en —, consequently.
conserver (1), to preserve.
considérable, considerable.
consoler (1), to console.
consonne, *f.*, consonant.
consternation, *f.*, consternation.
construction, *f.*, construction.
consulter (1), to consult.
conte, *m.*, story, tale.
contempler (1), to look at, contemplate.
contenant, containing.
content, -e, glad, contented, satisfied.
contenter (1), to content, satisfy.
conter (1), to tell, relate.
contien-s, -t, -nent, contains, *pres. indic. of* contenir (56).
continuellement, continually.

continuer (1), to continue.
contraire, *m.*, contrary; au —, on the contrary.
contredire (22), to contradict.
contrefaire (26), to counterfeit, imitate.
convaincu, *past part. of* convaincre (54), convinced, convicted.
convenu, agreed.
converser (1), to converse.
convié, invited.
convoitise, *f.*, lust, desire.
copiste, *m.*, copyist, imitator.
coquin, *m.*, scoundrel, rascal.
corbeille, *f.*, basket.
corbleu, by Jove!
corde, *f.*, fiddle string.
corder (1), to make rope, to string.
cordier, *m.*, ropemaker.
cordon, *m.*, rope, cord.
corps, *m.*, body.
corriger (1), to correct.
corsaire, *m.*, corsair, pirate, pirate ship.
côté, *m.*, side; à — de, near, beside; de son —, on his side; d'un —, on one side.
coton, *m.*, cotton.
cou, *m.*, neck.
coup, *m.*, blow, thrust; — de sonnette, ring; donner des — de bâton, to beat with a club.
coupable, guilty.
couper (1), to cut; se — la gorge, to cut one's throat.
cour, *f.*, courtyard, courtship; faire la —, to pay court.

courant, être au —, to be informed, acquainted with.
courbé, bent.
courir (15), to run.
couronne, *f.*, crown.
couronner (1), to crown.
course, *f.*, race; léger à la —, swift runner.
court, -e, short.
courtisan, *m.*, courtier.
coûter (1), to cost.
coutume, *f.*, custom.
couvert, *m.*, cover, meal, place at table.
couvrir (16), to cover.
craie, *f.*, chalk.
craignez, fear, *imperative of* craindre (17).
craindre (17), to fear, be afraid.
crâne, *m.*, skull, head, scalp.
crever (1), to burst, choke.
cri, *m.*, cry.
crier (1), to cry, shout.
crime, *m.*, crime.
croire (18), to believe.
croître (19), to grow.
croquer (1), to munch.
cruauté, *f.*, cruelty.
cueillir (20), to gather, cull, pick.
cuirasse, *f.*, breastplate.
cuisine, *f.*, kitchen, style of cooking.
cuisinier, *m.*, cook.
cuisse, *f.*, thigh.
cuite, baked, roasted, done.
curieusement, curiously.
curieu-x, -se, inquisitive, curious.

dame, *f.*, lady, woman; *interj.*, goodness!
dandiner (1), to hop, strut.
danger-eux, -euse, dangerous.
dans, in, within, inside of.
danser (1), to dance.
danseur, *m.*, dancer.
davantage, more.
de, of, from, with, among, about.
débarrasser (1), to get rid of.
débiteur, *m.*, debtor.
debout, standing, upright.
décéder (1), to die.
décembre, *m.*, December.
décorder (1), to unwind.
découpé, cut off.
dedans, inside; là- —, in there.
dédommager (1), to indemnify.
défaire (26), to untie, to unpack.
défaut, *m.*, fault, shortcoming.
défendre (4), to defend.
déférence, *m.*, respect, deference.
définir (4), to define.
défunt, *m.*, dead person, deceased.
déguiser (1), to disguise.
dehors, outside.
déjà, already.
déjeuner, *m.*, breakfast, lunch.
déjeuner (1), to breakfast.
délivrer (1), to free, deliver.
déluge, *m.*, deluge.
demain, to-morrow.
demander (1), to ask for.

démarche, *f.*, gait, step, visit.
déménager (1), to move.
demeure, *f.*, dwelling.
demeurer (1), to remain, live, dwell.
demi, -e, half.
demi-place, half-fare; billet de —, half-fare ticket.
demoiselle, *f.*, young lady.
dénouement, *m.*, development, ending, climax.
dent, *f.*, tooth.
dentelle, *f.*, lace.
départ, *m.*, departure.
dépendre (4), to depend.
dépens, *m.*, expense.
dépenser (1), to spend.
dépit, *m.*, disappointment.
déplaire (42), to displease; ne vous déplaise, may it not displease you.
déployé, spread out, unfurled.
déposer (1), to place, put.
dépouiller (1), to strip.
dépourvu, destitute, in need.
depuis, since, while, for.
déranger (1), to disturb.
dern-ier, -ière, last.
derrière, behind.
des, of the, from the (*contraction of* de *and* les), some.
dès, from; — ce jour, from that day on.
désagréable, disagreeable.
désarmer (1), to disarm.
descendre (4), to descend, go down.
déshonorer (1), to dishonor.
désirer (1), to desire.

désordre, *m.*, disorder.
désormais, henceforth.
dessert, *m.*, dessert.
dessin, *m.*, drawing, design.
dessous, beneath, under; au- —, underneath.
dessus, above; au- —, over, on top.
destiner (1), to destine, intend.
détacher (1), to detach, become loose.
détresse, *f.*, distress.
dette, *f.*, debt.
deux, two; tous les —, both.
deuxième, second.
devant, in front of, before (*place*).
dévaliser (1), to rob.
déverser (1), to pour down.
devinette, *f.*, riddle.
devoir (3), to owe, ought.
devoir, *m.*, written lesson.
dévoué, devoted.
diable, *m.*, devil; au —, the deuce.
diamant, *m.*, diamond.
dictée, *f.*, dictation.
Didón, Dido.
Dieu, *m.*, God; mon —, gracious, good heavens!
différend, *m.*, dispute, quarrel.
difficile, difficult.
diggoré (*onomatopœic word*), dickory.
dimanche, *m.*, Sunday.
dindon, *m.*, turkey.
dîner, *m.*, dinner.
dîner (1), to dine.
dîneur, *m.*, diner.

dire (22), to say, speak; vouloir —, to mean.
directeur, *m.*, director.
diriger (1), to direct, turn.
dis, *pres. and past def. of* dire (22), say, said.
discours, *m.*, speech.
discussion, *f.*, discussion.
discuter (1), to discuss, argue.
disparaître (39), to disappear.
se dispenser (1), to excuse oneself, get out of.
dispute, *f.*, dispute, quarrel.
disputer (1), to dispute, gainsay.
distance, *f.*, distance.
distinguer (1), to distinguish.
distraction, *f.*, absence of mind; par —, absentmindedly.
dit, -e, *past part. of* dire (22), said.
divertir (2), to amuse.
dix, ten.
docteur, *m.*, doctor.
dodu, -e, fat, plump.
doge (*onomatopœic word*), dock.
dois, doit, doivent, *pres. indic. of* devoir (3), owe, ought, should.
domaine, *m.*, estate.
domestique, *m. and f.*, servant.
donc, then, therefore, so, now, anyway.
donner (1), to give.
donneur, *m.*, giver.
dormeur, *m.*, sleeper.
dormir (23), to sleep.

douane, *f.,* custom-house; customs.
doublure, *f.,* lining.
doucement, softly, gently.
doute, *f.,* doubt; **sans —,** without doubt, doubtlessly.
douter (1), to doubt; **se — de,** to suspect.
douzaine, *f.,* dozen.
douze, twelve.
drapeau, *m.,* flag.
drogue, *f.,* drug.
droit, *m.,* right, duty.
droit, -e, right, straight; **à —,** to the right.
du (*contraction of* **de** *and* **le**), *genitive of the definite article,* of the; *partitive article,* some, any.
dû, *past part. of* **devoir** (3), ought, should.
duel, *m.,* duel.
dur, -e, hard; **l'oreille —,** hard of hearing.
durer (1), to last.

eau, *f.,* water.
échanger (1), to exchange; **— n'est pas voler,** a fair exchange is no robbery.
échapper (1), to escape; **s'—,** to escape.
éclaircir (2), to clear up.
éclater (1), to burst out, break forth; **— de rire,** to burst out laughing.
école, *f.,* school.
écolier, *m.,* school-boy.
écorcheur, *m.,* fleecer.
écouter (1), to listen to.

s'écrier (1), to cry out, shout.
écrire (24), to write.
écrit, *m.,* writing, document.
écriteau, *m.,* sign.
écurie, *f.,* stable.
écuyer, *m.,* riding-master.
effacer (1), to erase, rub off.
effaré, frightened.
effet, *m.,* fact; **en —,** in fact, indeed.
effort, *m.,* effort, attempt.
effroi, *m.,* fear.
effrontément, boldly, impudently.
ég-al, -aux, equal.
égaler (1), to equal.
égard, *m.,* regard; **à votre —,** as far as you are concerned.
église, *f.,* church.
eh, oh! ah! hey there!
élancer (1), to throw; **s'—,** to throw oneself.
élection, *f.,* election.
élégant, -e, elegant.
éléphant, *m.,* elephant.
élève, *m.,* pupil, student.
élever (1), to bring up, raise.
elle, she, her, it.
éloigner (1), to remove, put away.
embarras, *m.,* embarrassment, trouble.
embrasser (1), to kiss, embrace.
embuscade, *f.,* ambush.
Eminence, *m.,* Eminence, title given to a high dignitary of the church.
s'emparer (1), to take possession of.

empêcher (1), to prevent.
empereur, *m.*, emperor.
empesté, infected.
empoisonner (1), to poison.
emporter (1), to carry off; s'—, to fly into a rage; l'— sur, to win, triumph.
empressé, hasty, in a hurry.
emprunt-eur, -euse, borrower.
ému, -e, moved, touched.
en, *prep.*, in, while, on.
en, *pron.*, some, of it, of them.
enchanté, -e, charmed, delighted.
enclume, *f.*, anvil.
encore, yet, even, again, still.
endormant, falling asleep, *pres. part. of* endormir (23).
endormi, fallen asleep, asleep.
endosser (1), to put on.
endroit, *m.*, place.
enfant, *m.*, child.
enfantin, -e, childish.
enfin, finally, at last.
enfuir (28), to flee, run away; s'—, to run away.
énigme, *m.*, enigma.
enlever (1), to carry away, remove.
ennemi, *m.*, enemy.
ennuy-eux, -eusé, tiresome, tedious.
énormément, enormously.
ensuite, next, then.
s'ensuivre (52), to follow.
entendre (4), to hear, understand.
enti-er, -ère, whole.
entourer (1), to surround.
entre, between, among.

entreprendre (46), to undertake.
entrer (1), to enter.
envahir (2), to invade.
envelopper (1), to wrap up.
envie, *f.*, desire; envy, chagrin, displeasure.
environ, about.
envoi, *m.*, goods forwarded, shipment.
envoyer (1), to send.
épaule, *f.*, shoulder.
épée, *f.*, sword.
épeler (1), to spell.
époque, *f.*, epoch.
épouvantable, frightful.
épreuve, *f.*, proof; à l'—, on trial, tested; à l'— de la balle, bullet-proof.
escalier, *m.*, stairs, staircase.
escroc, *m.*, thief, swindler.
espagnol, -e, Spanish, Spaniard.
esprit, *m.*, mind, wit.
essai, *m.*, trial, proof.
essayer (1), to try.
essuyer (1), to wipe.
estime, *f.*, esteem.
et, and.
ét-ais, -ait, -ions, -iez, -aient, *imperf. of* être, was.
étaler (1), to spread out, display.
étant, *pres. part. of* être, being.
état, *m.*, state; Etats-Unis, United States.
été, *past part. of* être, been.
été, *m.*, summer.
étendre (4), to spread out.
étiquette, *f.*, label.

étoffe, *f.*, cloth.
étonné, surprised.
étonnement, *m.*, surprise.
étrang-er, -ère, stranger, foreign.
étrangler (1), to strangle.
être, to be; — à, to belong to.
étude, *f.*, study.
étudier (1), to study.
eu, had, *past part. of* avoir.
Europe *f.*, Europe.
eu-s, -t, eûmes, eûtes, -rent, had, *past def. of* avoir.
eux, they, them.
eux-mêmes, themselves.
évaluer (1), to value.
éveiller (1), to awake; s'—, to awaken, wake up.
évident, -e, evident, clear.
exactement, closely, exactly.
exagérer (1), to exaggerate.
exalter (1), to praise.
examen, *m.*, examination.
examiner (1), to examine.
exaspérer (1), to exasperate.
excuse, *f.*, excuse.
exécuter (1), to execute.
exemple, *m.*, example.
exercice, *m.*, exercise.
expédient, *m.*, resource, trick.
expédier (1), to send, forward.
expérience, *f.*, experiment, experience.
expirer (1), to expire, die.
expliquer (1), to explain.
exportation, *f.*, exportation.
express, *m.*, express; train —, through train.
extrêmement, extremely.

fabricant, *m.*, manufacturer.
fabriquer (1), to manufacture.
face, *f.*, face; en —, opposite, straight at one.
facilement, easily.
façon, *f.*, way, manner; sans faire de —s, without standing on ceremony.
facteur, *m.*, letter-carrier, postman.
factionnaire, *m.*, sentry.
faible, weak, faint.
faim, *m.*, hungry; avoir —, to be hungry.
faire (26), to make, do, cause, imitate; si fait, yes indeed.
faiseur, *m.*, doer.
fait, *m.*, fact; au —, in fact.
faites, do, make (*imperative of* faire); — entrer, show in.
falloir (27), to be necessary, have to.
fameu-x, -se, famous.
famili-er, -ère, familiar.
famille, *f.*, family.
famine, *f.*, famine.
farouche, wild.
fassent, *pres. subj. of* faire (26), make.
fatigué, -e, tired.
faut, *pres. indic. of* falloir (27), is necessary, must.
fauteuil, *m.*, armchair.
favori, -te, favorite.
fébricitant, feverish.
feinte, *f.*, pretence, artifice.
félicité, *f.*, happiness.
femme, *f.*, wife, woman.
fenêtre, *f.*, window.
fer, *m.*, horseshoe, iron.

fer-ai, -as, -a, -ons, -ez, -ont, *future of* **faire** (26), shall do.
fermer (1), to close.
fermier, *m.,* farmer.
féroce, ferocious, wild.
fête, *f.,* feast, holiday; **jour de —,** birthday.
feu, *m.,* fire.
feuillage, *m.,* foliage.
feuille, *f.,* sheet, leaf.
ficelle, *f.,* thread, cord.
fidèle, faithful.
fil, *m.,* thread.
filial, -e, filial.
fille, *f.,* daughter, girl.
fils, *m.,* son, boy.
fin, -e, fine, cunning.
fin, *f.,* end.
finance, *f.,* finance.
financier, *m.,* financier.
financi-er, -ère, financial.
finir (2), to finish, end.
fi-s, -t, fîmes, fîtes, -rent, *past def. of* **faire** (26), did, made.
fixe, fixed, exact.
fixer (1), to tie, fasten.
flairer (1), to scent.
flamber (1), to flare up, blaze.
fléau, *m.,* scourge.
flèche, *f.,* arrow.
fleur, *f.,* flower.
fleuve, *m.,* river.
foi, *f.,* faith, word.
foire, *f.,* fair; **— aux chevaux,** horse fair; **champ de —,** fair grounds.
fois, *f.,* time; **une —,** once, once upon a time; **deux —,** twice.

fond, *m.,* bottom, rear.
fondre (4), to burst.
font, *pres. 3d pl. of* **faire** (26).
fort, *adv.,* very; *adj.,* strong.
force, *f.,* force, strength.
forêt, *f.,* forest.
forgeron, *m.,* blacksmith.
forme, *f.,* form.
former (1), to form.
fortifier (1), to strengthen.
fortuné, -e, fortunate, lucky.
fortune, *f.,* fortune.
foudre, *f.,* thunderbolt.
fouiller (1), to search, rummage.
foule, *f.,* crowd.
four, *m.,* furnace.
fourmi, *f.,* ant.
fournir (2), to furnish.
foyer, *m.,* hearth.
frais, fraîche, fresh.
franc, *m.,* franc (*about twenty American cents*).
frapper (1), to knock, strike.
frayeur, *m.,* fright.
fripon, *m.,* knave, cheat.
frire, to fry.
friser (1), to border.
froid, -e, cold; **il fait —,** it is cold weather.
froidement, coldly.
froisser (1), to crumple.
frontière, *f.,* border, frontier.
frotter (1), to rub.
frugal, -e, frugal.
fruit, *m.,* fruit.
fureur, *f.,* fury, eagerness.
furieu-x, -se, furious.
fus, fut, fûmes, fûtes, furent, *past def. of* **être,** was.

fusil, *m.*, gun.
futur, -e, future, intended, betrothed.

gagner (1), to gain, earn.
galerie, *f.*, gallery.
gallon, *m.*, gallon.
galop, *m.*, gallop; **au —**, galloping, at a gallop.
garçon, *m.*, boy, bachelor, waiter.
garder (1), to watch, keep, defend.
Garonne, *f.*, the Garonne, a river of Southern France.
gars, *m.*, boy.
Gascon, *m.*, Gascon, an inhabitant of Gascony, a province of France.
gâter (1), to spoil, soil.
gauche, left; **à —**, to *or* at the left.
général, *m.*, general; **en —**, in general.
génereu-x, -se, generous.
générosité, *f.*, generosity.
genou, *m.*, knee; **se jeter aux —**, to kneel.
gens, *m.*, people, persons.
gentilhomme, *m.*, nobleman, gentleman.
gerbe, *f.*, sheaf, bundle.
glace, *f.*, mirror, ice.
glacer (1), to freeze.
glisser (1), to slip, slide.
gloire, *f.*, glory.
gober (1), to gulp down.
gorge, *f.*, throat.
gourmand, -e, greedy.
goutte, *f.*, drop.

gouvernement, *m.*, government.
grâce, *f.*, grace, pity.
grain, *m.*, grain.
grand, -e, great, large.
gras, -se, fat.
gratification, *f.*, gratuity, reward.
grave, grave, serious.
gravement, gravely, seriously.
grec, -que, Greek.
grimace, *f.*, grimace.
grimé, -e, with wrinkles painted on the face, to appear old.
grimper (1), to climb.
gris, -e, gray.
gronder (1), to scold.
groupe, *m.*, group.
grouper (1), to group, assemble.
guérir (2), to cure.
guerre, *f.*, war.
guetter (1), to watch.
Guillaume, William.
gymnastique, *f.*, physical training.

(* *indicates aspirate* **h.**)
habile, smart, clever.
habiller (1), to dress.
habit, *m.*, coat, suit, clothes.
habitant, *m.*, inhabitant.
habitude, *f.*, habit.
***haie**, *f.*, hedge.
***haï, -e**, hated.
***haletant, -e**, staggering, breathless.
***halte**, *m.*, halt; **faire —**, to stop.
***haranguer** (1), to harangue.

*hardiesse, *f.*, boldness.
*harpagon, *m.*, miser.
*hâte, *f.*, haste, hurry.
se *hâter (1), to hasten, hurry.
*haut, -e, high, loud.
*hélas, alas.
*héler (1), to hail.
héritage, *m.*, inheritance.
hériter (1), to inherit.
héritier, *m.*, heir.
hésitation, *f.*, hesitation; sans —, unhesitatingly; avec —, hesitatingly.
hésiter (1), to hesitate.
heure, *f.*, hour, time, o'clock; à la bonne —, well and good, all right; de bonne —, early; tout à l'—, just before, presently, soon.
heur-eux, -se, happy, fortunate.
hier, *m.*, yesterday.
histoire, *f.*, story, history.
hiver, *m.*, winter.
*hocher (1), to shake.
holà, *excl.*, hello! say!
homme, *m.*, man.
honnête, honest.
honneur, *f.*, honor.
honoraires, *f.*, fees.
*honte, *f.*, shame; avoir —, to be ashamed.
*honteu-x, -se, ashamed.
horloge, *f.*, clock.
hospitalité, *f.*, hospitality.
hôte, *m.*, host.
hôtelier, *m.*, innkeeper, hotel-keeper.
hôtellerie, *f.*, inn.
*housard, *m.*, hussar.

huissier, *m.*, usher.
*huit, eight.
huître, *f.*, oyster.
humain, -e, human.
humblement, humbly.
humeur, *f.*, bitterness, humor.
humilié, -e, humiliated.
hussard, *m.*, hussar, light-cavalry man.

ici, here; par —, this way.
idée, *f.*, idea.
ignorer (1), not to know, be ignorant of.
illustre, illustrious.
ils, *m.*, they.
image, *f.*, picture.
imminent, -e, imminent.
immobile, motionless, immovable.
imparfait, *m.*, imperfect.
impatienté, -e, out of patience.
impénétrabilité, *f.*, impenetrability.
impertinent, *m.*, impertinent fellow.
importer (1), to be important, matter; qu'importe, what does it matter.
importun, -e, importunate, tiresome, beseeching.
importuner (1), to bore, displease.
imposteur, *m.*, imposter, cheat.
impression, *f.*, impression.
improviste, à l'—, unexpectedly.
inattendu, -e, unexpected.
inconnu, *m.*, unknown.

indécis, -e, undecided.
indifférence, *f.*, indifference.
indigence, *f.*, poverty, need.
indiquer (1), to indicate, point out.
individu, *m.*, individual.
induire (12), to lead into.
industrie, *f.*, industry.
infaillible, infallible, sure.
infailliblement, infallibly.
infernal, -e, infernal.
infortune, *f.*, misfortune.
ingénieusement, skilfully.
ingénieu-x, -se, ingenious.
injuste, unjust.
insensé, -e, foolish, crazy.
insolent, -e, impudent, fresh.
inspecteur, *m.*, inspector.
s'installer (1), to install oneself.
instance, *f.*, entreaty.
instant, *m.*, instant; à l'—, at once.
instrument, *m.*, instrument.
insupportable, unbearable.
intacte, untouched.
interdire (22), to prohibit.
intérêt, *m.*, interest.
interrogati-f, -ve, interrogative.
intervenir (56), to interfere.
intime, intimate.
inutile, useless.
inventer (1), to invent.
invitation, *f.*, invitation.
invité, -e. invited, guest.
inviter (1), to invite.
ir-ai, -as, -ons, *etc., fut. of* aller (6), shall go.
irriter (1), to irritate, to vex.

Jacques, James.
jamais, ever; au grand —, absolutely never.
jambe, *f.*, leg; à toutes —, as fast as possible.
jardin, *m.*, garden.
je, I.
jeter (1), to throw.
jeu, *m.*, game.
jeudi, *m.*, Thursday.
jeune, young.
joli, -e, pretty, nice.
joliment, nicely, very.
jouer (1), to play.
jouet, *m.*, plaything, toy.
jour, *m.*, day.
journal, *m.*, newspaper.
journée, *f.*, day.
joyeusement, joyously.
joy-eux, -euse, glad, joyful.
juge, *m.*, judge.
juger (1), to judge.
juin, *m.*, June.
jumelle, twin.
jurer (1), to swear.
jusque, until, till, even.
juste, right.
justement, precisely, happened to.

l', *def. art. before a vowel or h mute*, the.
la, *f. def. art.*, the; *dir. obj. pron.*, it, her.
là, there; — -bas, down there. yonder; par —, that way.
laid, -e, ugly.
laisser (1), to leave, let.
langage, *m.*, language.
langue, *f.*, tongue, language.

laquelle, lesquelles, *f.*, which.
large, wide.
larme, *f.*, tear.
laver (1), to wash.
le, *m. def. art.*, the; *dir. obj. pron.*, it, him.
leçon, *f.*, lesson.
lég-er, -ère, light.
légèrement, lightly.
légèreté, *f.*, lightness, agility.
légitime, legitimate.
léguer (1), to leave, bequeath.
lendemain, *m.*, next day.
lentement, slowly.
léopard, *m.*, leopard.
lequel, lesquels, *m.*, which.
les, *def. art. pl.*, the; *obj. pron. pl.*, them.
lettre, *f.*, letter.
leur, *poss. adj.*, their; *ind. obj. pron.*, to *or* for them.
lever (1), to raise, lift; **se —,** to get up, arise.
libre, free, unoccupied.
lier (1), to bind, tie.
lieu, *m.*, place; **au — de,** instead; **avoir —,** to take place.
lieutenant, *m.*, lieutenant.
ligne, *f.*, line.
limite, *f.*, limit.
lion, *m.*, lion.
lionceau, *m.*, lion cub.
lionne, *f.*, lioness.
liquide, *m.*, liquid.
lire (30), to read.
li-s, -t, -sons, -sez, -sent, *pres. indic. of* **lire** (30), to read.
liseur, *m.*, reader.
liste, *f.*, list.
lit, *m.*, bed.

livre, *m.*, book.
livre, *f.*, pound.
logement, *m.*, home, lodgings, quarters.
loger (1), to lodge, board, dwell.
loin, far.
long, -ue, long.
longtemps, a long time.
lorsque, when, while.
louis d'or, gold-piece of twenty francs.
loup, *m.*, wolf; **au —,** the wolf!
lourdaud, *m.*, blockhead.
lourdement, heavily.
lui, he, him, her, it, to him, to her; **à —,** his; **— -même,** himself.
luire (37), to shine, dazzle.
lundi, *m.*, Monday.
lune, *f.*, moon.
lunettes, *f. pl.*, glasses, spectacles.

ma, my.
machinalement, mechanically.
machine, *f.*, machine, mechanism.
magasin, *m.*, shop.
magistrat, *m.*, judge, magistrate.
main, *f.*, hand.
maintenant, now.
maire, *m.*, mayor.
mais, *conj.*, but; *excl.*, why!
maison, *f.*, house; **à la —,** at home.
maître, *m.*, master, teacher.
majesté, *f.*, majesty.

mal, *m.*, harm, evil.
maladresse, *f.*, clumsiness, awkwardness.
malgré, in spite of.
malheur, *m.*, misfortune.
malheureusement, unfortunately.
malin, maligne, cunning, clever.
mandarin, mandarin (Chinese official).
manger (1), to eat.
manière, *f.*, way, manner; **de — à**, in such a way as.
manquer (1), to lack, fail, be missing, "cut."
manteau, *m.*, cloak, mantle.
maraud, *m.*, scoundrel, knave.
maravédis, a Spanish coin worth ⅛ of a cent.
marchand, *m.*, merchant.
marché, *m.*, market, bargain.
marcher (1), to walk, march.
mardi, *m.*, Tuesday.
maréchal-ferrant, *m.*, horseshoer, blacksmith.
mariage, *m.*, marriage.
marier (1), to marry off; **se — avec**, to get married.
marque, *f.*, brand.
Marseille, Marseilles, a seaport in Southern France.
marteau, *m.*, hammer.
matin, *m.*, morning, early.
maudit, -e, cursed.
mauvais, -e, bad, mean, mischievous.
méchant, -e, naughty, mischievous, bad.

méconnaissable, unrecognizable.
médecin, *m.*, doctor.
médecine, *f.*, medicine.
médicament, *m.*, medicine.
meilleur, -e, *adj.*, better, best.
mêler (1), to mix.
mélodie, *f.*, melody.
même, same, even; **de —**, in the same way, likewise.
menaçant, -e, threatening.
menace, *f.*, threat.
mendiant, -e, beggar.
mener (1), to lead, take.
mensonge, *m.*, lie, story.
ment-eur, -euse, lying; *m.*, story-teller, liar.
mentir (40), to lie, tell a falsehood.
menton, *m.*, chin.
menuisier, *m.*, carpenter, joiner.
méprisant, -e, disdainful.
mer, *f.*, sea.
merci, thanks.
mercredi, *m.*, Wednesday.
mère, *f.*, mother.
merveille, *f.*, marvel.
mes, *m. and f.*, my.
messieurs, *m.*, gentlemen, sirs.
métier, *m.*, trade, calling.
métro, *m.*, underground railway.
mettre (32), to put, place; **se —**, to sit down; **se — à**, to begin.
met-s, -tons, -tez, -tent, *pres. indic. of* **mettre** (32), put, place.
meunier, *m.*, miller.

meur-s, -t, mourons, mourez, -ent, *pres. indic. of* **mourir** (34), to die.
midi, noon.
mien, -ne, -s, -nes, mine.
mieux, *adv.,* better, best.
milieu, *m.,* middle; **au — de,** in the middle, midst.
mille, *m.,* mile.
mil, -le, thousand.
million, *m.,* million.
mine, *f.,* face, expression; **avoir bonne —,** to look well.
ministre, *m.,* minister.
minute, *f.,* minute.
mis, -e, *past part. of* **mettre** (32), put, set, dressed.
misérable, wretch, wretched, miserable.
miséricorde, mercy, Great Heavens!
mode, *f.,* fashion; **à la —,** fashionable; *m.,* manner.
modèle, *m.,* model.
moi, I, me, to me, for me; **à —,** mine; *excl.,* help!
moindre, *adj.,* least, smallest.
moine, *m.,* monk.
moins, less; **au —,** at least; **le —,** *adv.,* least.
moisson, *f.,* harvest.
moitié, *f.,* half.
molester (1), to molest.
moment, *m.,* moment.
mon, my.
monarque, monarch.
monde, *m.,* world, people, society, crew; **tout le —,** everybody.
monnaie, *f.,* change, money.

Monnier, Henri (1805–1877), a witty writer and caricaturist of France, creator of the celebrated character Joseph Prudhomme, the type of self-satisfied nonentity.
monseigneur, *m.,* my lord, your grace. A title given to a dignitary of the Catholic Church.
montagne, *f.,* mountain.
monter (1), to come up, mount.
montre, *f.,* watch.
montrer (1), to show.
monture, *f.,* mount, nag.
moquer (1), to fool; **se — de,** to deceive, make fun of.
morale, *m.,* moral.
morbleu, Good Gracious! Heavens!
morceau, *m.,* piece, bit.
mordre (4), to bite.
mort, *past part. of* **mourir** (34), dead, died.
mot, *m.,* word; **prendre au —,** to take literally.
motif, *m.,* motive.
mouche, *f.,* fly.
mouchoir, *m.,* handkerchief.
mourir (34), to die.
mouton, *m.,* sheep.
moyen, *m.,* means, average.
musicien, *m.,* musician.
musique, *f.,* music.
mystifier (1), to mystify, perplex.

naïf, naïve, ingenuous, simple.
nature, *f.,* nature.

VOCABULAIRE 241

naturellement, naturally.
naufragé, *m.*, shipwrecked person.
navire, *m.*, boat. ship.
ne . . . pas, *negative*, not.
négligence, *f.*, negligence, neglect.
négliger (1), to neglect.
neuf, nine.
neuf, neuve, new.
nez, *m.*, nose.
ni . . . ni . . ., neither . . . nor.
noble, noble.
noir, -e, black.
nom, *m.*, name.
nombre, *m.*, number.
nommer (1), to name, mention.
non, no; — **plus**, neither.
nos, *adj.*, our.
note, *f.*, bill, mark (grade).
notre, *adj.*, our.
nouer (1), to tie, knot.
nourrice, *f.*, nurse.
nourrir (2), to nourish.
nous, we, us, to us, for us.
nouveau, new, renewed.
nouveau-venu, *m.*, newcomer.
nouvel, -le, new, another.
nouvelle, *f.*, news.
novembre, *m.*, November.
novice, inexperienced, green.
noyer (1), to drown.
nu, -e, naked.
nue, *f.*, cloud.
nuit, *f.*, night.
numéro, *m.*, number.

obliger (1), to oblige, force.
observatoire, *f.*, observatory.
observer (1), to observe, notice.
obtenir (56), to obtain.
occasion, *f.*, chance, occasion.
occupé, -e, busy.
océan, *m.*, ocean.
odeur, *f.*, odor.
œil, *m.*, eye.
œuf, *m.*, egg.
office, *m.*, favor, service.
officier, *m.*, officer.
offre, *f.*, offer.
oie, *f.*, goose.
oiseau, *m.*, bird.
ombre, *f.*, shadow, darkness.
oméga, *the last letter of the Greek alphabet*, the end.
omnibus, *m.*, coach, omnibus.
on, *pron.*, we, you, they, some one, people, anybody (*or translate by the passive*).
once, *f.*, ounce.
ont, *pres. indic. of* **avoir**, have; — **lieu**, take place.
onze, eleven.
opiniâtre, stubborn.
opticien, *m.*, optician.
or, now.
or, *m.*, gold.
orange, *f.*, orange.
ordinaire, ordinary.
ordonnance, *f.*, prescription.
ordonner (1), to order, command.
ordre, *f.*, order.
oreille, *f.*, ear.
ornement, *m.*, ornament, adornment.
oser (1), to dare.
ôter (1), to remove; **s'— de**, to get away from.

ou, or.
où, where, when, in which.
oublier (1), to forget.
oui, yes.
ouïe, *f.*, hearing.
ours, *m.*, bear.
ouvrage, *m.*, work.
ouvrier, *m.*, workman, laborer.
ouvrir (38), to open.

pacificateur, *m.*, peacemaker.
pacifier (1), to calm, pacify.
page, *m.*, page, young man-servant.
page, *f.*, page (*of a book*).
pain, *m.*, bread; **pain bis** (*military*), hardtack, coarse bread.
paire, *f.*, pair.
palais, *m.*, palace.
pâlir (2), to turn pale.
panier, *m.*, basket.
pantomime, *f.*, pantomime.
papier, *m.*, paper.
paquet, *m.*, package.
par, by, through, for, per, by way of.
paragraphe, *m.*, paragraph.
paraître (39), to appear, seem.
parapet, *m.*, parapet, fortified wall.
parapluie, *m.*, umbrella.
parce que, because.
parcourir (15), to cross, pass through, run about in.
par-dessus, on top.
pardessus, *m.*, overcoat.
pardon, *m.*, pardon.
pardonner (1), to pardon.
pareil, -le, equal, like.

parent, *m.*, **-e**, *f.*, relative, parent.
parer (1), to parry, ward off.
paresse, *f.*, laziness.
paresseu-x, -se, lazy.
parfaitement, perfectly.
parlement, *m.*, parliament.
parler (1), to speak.
parlêu-r, -se, talker.
parmi, among.
parole, *f.*, word.
par-s, -t, -tons, -tez, -tent, *pres. indic.* of **partir** (40), leave.
part, *f.*, interest; **de la — de**, on behalf of; **à —**, aside, separate.
partager (1), to share.
particularité, *f.*, peculiarity.
partie, *f.*, part.
partir (40), to go away, depart, leave; **à — de**, from, beginning with.
pas, *m.*, step, pace; **au —**, walking.
pas, ne . . . —, *negative*, not.
passage, *m.*, passage, way.
passager, *m.*, passenger.
passer (1), to pass; **se —**, to happen, take place.
pater, *m.*, the Lord's Prayer.
patient, *m.*, patient.
patron, *m.*, boss.
patte, *f.*, paw.
pauvre, poor, needy.
payer (1), to pay.
pays, *m.*, country.
paysan, *m.*, peasant, farmer.
paysanne, *f.*, peasant woman.
pêche, *f.*, peach.
peine, *f.*, pain, trouble; **à**

grand' —, with great difficulty; **à —**, scarcely.
peinture, *f.*, painting, a painted picture.
pencher (1), to bend.
pendant, during, while.
pendre (4), to hang.
pénétrant, -e, penetrating.
pensée, *f.*, thought, idea.
penser (1), to think; **— de,** to have an opinion about; **— à,** to think of, reflect upon.
percer (1), to pierce.
perche, *f.*, pole.
perdre (4), to lose, destroy.
père, *m.*, father.
péremptoire, peremptory, commanding.
perfectionner (1), to perfect, improve.
périr (2), to perish.
permettre (32), to permit, allow.
permission, *f.*, permission, consent.
Pérou, Peru, a country of South America, of fabled riches.
perroquet, *m.*, parrot.
Perse, *f.*, Persia.
persécution, *f.*, persecution.
persévérance, *f.*, perseverance.
persiflage, *m.*, irony, mockery.
personnage, *m.*, person, personage.
personne, *f.*, some one, any one; **ne ... —,** nobody, no one (*also used alone*).

peste, *f.*, plague.
petit, -e, small, little, dear.
peu, *m.*, little; *adv.*, slight, little; **sous —,** shortly.
peuh, ah.
peuple, *m.*, people, masses.
peu-x, -t, -vent, *pres. indic. of* **pouvoir** (45), to be able, can.
peut-être, perhaps, maybe.
pharmaceutique, of drugs, pharmaceutical.
pharmacie, *f.*, pharmacy.
pharmacien, *m.*, pharmacist.
photographe, *m.*, photographer.
phrase, *f.*, sentence.
phthisique, tuberculous.
physionomie, *f.*, countenance, physiognomy.
physique, *f.*, physics.
piano, *m.*, piano.
pièce, *f.*, piece, coin, room, bit, play; **— de résistance,** climax.
pied, *m.*, foot; **à —,** on foot, walking.
pierre, *f.*, stone.
piqué, -e, displeased, touched.
pis, worse; **tant —,** so much the worse.
pistolet, *m.*, pistol.
piteu-x, -se, pitying.
pitié, *f.*, pity.
place, *f.*, place, seat, public square; **sur —,** at once, right here and now.
placer (1), to place, put.
plaider (1), to plead.
plaindre (17), to pity; **se —,** to complain.

plainte, *f.*, complaint.
plainti-f, -ve, plaintive, complaining, doleful.
plaisant, *m.*, jester, joker.
plaisant, -e, pleasant, humorous, ludicrous.
plaisanter (1), to joke.
plaisanterie, *f.*, joke.
plaisir, *m.*, pleasure.
plaît, s'il vous —, if you please.
plan, *m.*, plan, project.
plat, *m.*, platter, dish.
plein, -e, full.
pleurer (1), to weep, cry.
pleuvoir (43), to rain, pour.
plume, *f.*, pen, feather; — à réservoir, fountain-pen.
plus, more; ne ... —, no more; non —, neither, either; — de, more than; de —, moreover, besides.
plusieurs, several.
plutôt, rather.
poche, *f.*, pocket.
poème, *m.*, poem.
poète, *m.*, poet.
point, *m.*, point; sur le — de, to be about to; ne ... —, not at all.
pointe, *f.*, daybreak.
poitrine, *f.*, chest.
poli, -e, polite, polished.
police, *f.*, police.
politesse, *f.*, politeness.
pomme, *f.*, apple.
pont, *m.*, bridge, deck.
porte, *f.*, door.
porte-parapluie, *m.*, umbrella-stand.

porter (1), to bear, carry, wear; se —, to be (*as regards health*).
portier, *m.*, janitor, door-keeper.
portrait, *m.*, portrait.
poser (1), to set, pose, make, state.
posséder (1), to possess, own.
possession, *f.*, possession.
possible, possible.
poste, *f.*, post-office; la Grande —, main post-office.
pot, *m.*, pot, jar.
pouls, *m.* (*l and s are silent*), [pulse.
poupon, *m.*, *high-class slang for* a chubby little baby, a cherub.
pour, for, in order to.
pourquoi, why.
pourr-ai, -ais, etc., *fut. and cond. of* pouvoir (45), will *or* would be able.
poursuivi, -e, pursued.
pousser (1), to push, utter, grow.
pouvoir (45), to be able, can.
pouvoir, *m.*, power.
prairie, *f.*, meadow, field.
pratique, *f.*, practice.
précédent, -e, preceding, before.
prêcher (1), to preach.
précieu-x, -se, precious.
se précipiter (1), to rush forward.
précis, -e, exact, just.
précisément, exactly.
préférence, *f.*, preference, the first chance.

premi-er, -ère, first, prime.
prendre (46), to take.
présage, *m.*, indication, forecast.
près de, near.
présence, *f.*, presence.
présent, *m.*, present.
présent, present; à —, now, at present.
présenter (1), to offer, present, introduce; se —, to present oneself, appear.
presque, almost.
pressé, in a hurry.
prétendant, *m.*, pretender, claimant.
prétendre (4), to pretend, maintain.
prêter (1), to lend.
prêteuse, *f.*, lender.
prétexte, *m.*, pretext, excuse.
prier (1), to pray, beg.
prière, *f.*, prayer.
prince, *m.*, prince.
principal, *m.*, principal.
pris, *past part. of* prendre (46), taken.
prise, *f.*, pinch.
priver (1), to deprive.
prix, *m.*, price, prize.
procéder (1), to proceed.
se procurer (1), to get, procure.
prodige, *m.*, wonder.
produire (12), to produce.
produis-ais, -ait, etc., *imperf. of* produire (12), produced.
profiter (1), to profit by, take advantage of.
profond, -e, deep.

prohibé, -e, prohibited.
projet, *m.*, project, plan.
prolongé, -e, prolonged.
promenade, *f.*, promenade, walk.
promener (1), to walk; se —, to take a walk.
promettre (32), to promise.
pronom, *m.*, pronoun.
prononcer (1), to pronounce.
proposer (1), to propose, suggest.
propre, own, clean, due, proper, suitable.
propriétaire, *m.*, landlord.
prose, *f.*, prose.
prouver (1), to prove.
prudent, -e, prudent.
prune, *f.*, plum.
Prusse, *f.*, Prussia.
puis, then, next.
puis, *pres. indic. of* pouvoir (45), can.
puisque, since.
puiss-e, -ions, -ent, *pres. subj. of* pouvoir (45), may be able, can.
punir (2), to punish.
punition, *f.*, punishment.
pupitre, *m.*, desk.
pura (*Latin*), pure.

quadrupède, *m.*, quadruped, four-legged animal.
quand, when, whenever.
quant à, as for.
quantité, *f.*, quantity.
quart, *m.*, quarter.
quartier-général, *m.*, headquarters.

quatorze, fourteen.
quatre, four.
quatrième, fourth.
que, *conj.*, that; ne . . . —, only.
que, *inter.*, how, what; *rel.* that, which, whom.
quel, -le, -s, -les, what, what a, which.
quelque, -s, some, a few.
quelquefois, sometimes.
quelques-uns, -unes, some, a few, any.
quelqu'-un, -'une, somebody, some one, anybody.
qu'est-ce, -qui, -que, what.
qu'est-ce? what is it?
qu'est-ce que c'est que —? what is —?
question, *f.*, question.
questionneur, *m.*, questioner.
queue, *f.*, tail.
qui, *pron.*, who, whom, which, that, whoever.
quiconque, whosoever, whomsoever.
quinzaine, *f.*, about fifteen.
quinze, fifteen.
quitte, even, quits.
quitter (1), to leave, forgive, acquit.
quoi, what, which.
quotidien, -ne, daily.

raccommoder (1), to mend.
raconter (1), to tell, relate.
raison, *f.*, reason, right; avoir —, to be right.
râler (1), to have a rattling in the throat.

ramasser (1), to pick up, get together.
ranger (1), to arrange.
rappeler (1), to recall; se —, to remember.
rapport, *m.*, report; avoir — à, to regard, have to do with.
rapporter (1), to report, regard.
rapprocher (1), to draw nearer.
rassurer (1), to reassure.
rat, *m.*, rat.
rayon, *m.*, shelf, ledge.
récemment, recently.
recevoir (3), to receive.
rechanger (1), to change back again.
réciter (1), to recite.
réclamer (1), to claim.
reçoi-s, -s, -t, -vent, *pres. of* recevoir (3), receive.
recommander (1), to recommend.
récompenser (1), to reward.
reconnaissance, *f.*, gratitude.
reconnaître (13), to recognize.
se récrier (1), to cry out in remonstrance.
reçu-s, reçûmes, reçûtes, *past def. of* recevoir (3), received.
réellement, really.
réfectoire, *m.*, dining-hall.
réfléchir (2), to reflect.
réflexion, *f.*, thought, reflection.
refrain, *m.*, refrain, chorus.
refuser (1), to refuse.
se régaler (1), to feast.
regard, *m.*, look, gaze.
regarder (1), to look at, watch.

régiment, *m.*, regiment.
règle, *f.*, rule.
règne, *m.*, reign, kingdom.
régner (1), to rule, reign.
regretter (1), to regret.
regulier, regulière, regular.
rejeter (1), to refuse, deny.
réjouissant, -e, joyful.
relire (30), to reread.
remarquer (1), to notice, remark.
remède, *m.*, remedy.
remercier (1), to thank.
remettre (32), to give up, put off.
remontrance, *f.*, remonstrance.
remonter (1), to go up again.
remporter (1), to win, carry off.
remplir (2), to fill.
renard, *m.*, fox.
rencontrer (1), to meet.
rendre (4), to return, give back, make; se —, to surrender; se — à, to go to, betake oneself.
renfermer (1), to contain.
renommé, famous.
renouveler (1), to renew.
rentrer (1), to return home, reënter.
renverser (1), to overturn, throw over.
répandre (4), to spread.
repas, *m.*, meal.
répéter (1), to repeat.
répliquer (1), to reply, retort.
répondre (4), to answer.
réponse, *f.*, answer, reply.
reprendre (46), to reply, regain, resume.

réprimande, *f.*, reprimand, reproof.
reproche, *m.*, rebuke, reproach.
résidence, *f.*, residence, dwelling.
résistance, *f.*, resistance; pièce de —, climax.
résister (1), to resist.
résoudre (47), to solve.
respecter (1), to respect.
resplendissant, -e, shining, glistening.
ressembler (1), to resemble.
restaurant, *m.*, restaurant, saloon.
reste, *m.*, remainder; être en —, to be backward in; au —, moreover.
rester (1), to remain.
retard, *m.*, delay; en —, late.
retenir (56), to hold back, retain.
retenue, salle de —, *f.*, tardy-room.
retirer (1), to withdraw, retire, draw back.
retour, *m.*, return; être de —, to be back.
retourner (1), to return, to come back, go back, turn inside out.
retrouver (1), to find again.
rêve, *m.*, dream.
réveiller (1), to awaken; se —, to wake up.
revenant, *m.*, ghost.
revenir (56), to return, come back.

revien-s, -s, -t, *pres. of* **revenir** (56), come back, return, **-drai, -drais,** *fut. and cond.*
révolutionnaire, *m.,* revolutionist.
revue, *f.,* review.
rhum, *m.,* rum.
rhume, *m.,* cold.
riant, -e, smiling, laughing.
richard, *m.,* very rich man.
richissime, very rich.
ridicule, ridiculous.
rien, *m.,* nothing, (*with* **ne**).
rire (48), to laugh.
risquer (1), to risk.
rive, *f.,* bank.
rivière, *f.,* river.
robe, *f.,* dress, robe.
roi, *m.,* king.
rôle, *m.,* rôle, part, task.
rôt, *m.,* roast.
rôti, *m.,* roast.
rouge, red.
rougir (2), to blush, redden.
rouleau, *m.,* roll.
rouler (1), to roll, turn.
route, *f.,* road, highway.
royal, -e, royal.
royaume, *m.,* kingdom.
ruban, *m.,* ribbon.
rue, *f.,* street.
ruisseau, *m.,* brook.
ruse, *f.,* ruse, stratagem.
rusé, scheming, clever.

sac, *m.,* sack, bag.
sage, wise, good.
sagesse, *f.,* wisdom.
saillie, *f.,* joke, witticism.
sain, -e, healthy.
Saint Nicolas, *f.,* Christmas.
sai-s, -t, *pres. indic. of* **savoir** (49), know, can.
saisir (2), to seize.
saison, *f.,* season.
salle, *f.,* hall, room; — **de classe,** class-room; — **à manger,** dining-room.
salon, *m.,* drawing-room.
saluer (1), to bow, greet.
samedi, *m.,* Saturday.
sanctifier (1), to sanctify, hallow.
sandis, 'odsblood, my goodness!
sanglant, -e, bleeding, bloody.
sans, without.
sansonnet, *m.,* starling, *great foe of the common sparrow.*
santé, *f.,* health.
sardonique, mocking, sneering.
satisfaire (26), to satisfy.
saucisse, *f.,* sausage.
saucisson, *m.,* sausage.
sauf, safe, saving, except.
saur-ai, -ais, -ons, -ions, *fut. and cond. of* **savoir** (49), will *or* would know.
sauter (1), to jump.
se **sauver** (1), to escape, run away.
savant, -e, wise, learned.
savoir (49), to know, can.
scélérat, *m.,* rascal, scoundrel.
scène, *f.,* scene, stage.
se, oneself, himself, herself, itself, themselves, to *or* for oneself, one another.

seau, *m.*, pail, bucket.
sec, sèche, dry; d'un ton sec, sharply; à sec, high and dry, penniless.
second, -e, second.
secondement, secondly.
secouer (1), to shake.
secourir (15), to aid, help.
secours, *m.*, aid, help; au —, help!
secrétaire, *m.*, writing desk.
secrètement, secretly.
seigneur, *m.*, sire, sir, my lord.
séjour, *m.*, stay.
sel, *m.*, salt.
selle, *f.*, saddle.
seller (1), to saddle.
semaine, *f.*, week.
sembler (1), to seem, appear.
sénateur, *m.*, senator.
sens, *m.*, sense, meaning.
sensible, sensitive.
sentir (40), to feel, smell.
se séparer (1), to separate.
sept, seven.
septembre, *m.*, September.
ser-ai, -as, -ons, -ais, etc., *fut. and cond. of* être, will *or* would be.
sergent de ville, *m.*, policeman.
sérieu-x, -se, serious.
serré, -e, serried, closely massed.
serrer (1), to clasp tightly, bind, shake; se — la main, to shake hands.
serrure, *f.*, lock.
serrurier, *m.*, locksmith.
service, *m.*, service, employ.

servir (50), to serve; — de, to serve as; se — de, to use, make use of.
ses, his, her, its.
seul, -e, alone, single.
seulement, only.
sévérité, *f.*, severity.
si, if.
si, so.
si, yes (*after a negative question*); — fait, yes indeed (*after a negative statement*); que —, why yes, of course.
siècle, *m.*, century.
le sien, la sienne, les siens, les siennes, his, hers, its.
siffler (1), to hiss, whistle.
signal, signaux, *m.*, signal.
signe, *m.*, sign, signal.
significati-f, -ve, significant.
signifier (1), to mean, signify.
signor, *Italian for* sir, mister.
silence, *m.*, silence.
simple, simple, plain.
simplement, simply.
singe, *m.*, monkey.
singulier, *m.*, singular.
singuli-er, -ère, particular, curious, special.
sire, *m.*, sire, my lord.
situation, *f.*, location.
situé, located.
six, six.
sixième, sixth.
Smyrne, Smyrna, a port of Turkey-in-Asia on the Ægean Sea.
socialiste, *m.*, socialist.
société, *f.*, society, people present.

sodium, *m.*, sodium.
sœur, *f.*, sister.
soi, oneself.
soie, *f.*, silk.
soigner (1), to care for, look after.
soin, *m.*, care.
soir, *m.*, evening.
soirée, *f.*, evening.
soit, *pres. subj. of* être, be, may be, let be; *interj.*, all right, so be it.
soixante-quatre, sixty-four.
soldat, *m.*, soldier.
solde, *f.*, salary, pay, wages.
soleil, *m.*, sun.
somme, *f.*, sum.
sommeil, *m.*, sleep; avoir —, to be sleepy.
sommes, *pres. 1st plural of* être, are.
son, his, her, its.
songer (1), to think of.
sonner (1), to ring.
sonnette, *f.*, bell.
sont, *pres. 3d pl. of* être, are.
sor-s, -t, -tent, *pres. indic. of* sortir (40), come out, go out.
sort, *m.*, fate, destiny, treatment.
sorte, *f.*, sort, kind.
sortie, *f.*, exit, close of school.
sortir (40), to go out, get out.
sot, -te, foolish.
sou, *m.*, cent, five centimes.
soudain, sudden, suddenly.
soudainement, suddenly.
souffert, *past part. of* souffrir (38), suffered.
souffrance, *f.*, suffering.
souffrir (38), to suffer.
souhait, *m.*, wish.
soulager (1), to relieve, soothe.
soulagement, *m.*, relief.
soulier, *m.*, shoe.
souper, *m.*, supper.
soupir, *m.*, sigh.
sourd, -e, deaf.
sourire, *m.*, smile.
souris, *f.*, mouse.
sous, under.
sous-lieutenant, *m.*, second lieutenant.
soutenu, *past part. of* soutenir (56), maintained, kept up.
souterrain, *m.*, subway, underground.
soutiendr-ai, -a, -ais, etc., *fut. and cond. of* soutenir (56), support, sustain.
souvenance, *f.*, remembrance.
souvent, often.
souverain, -e, royal, splendid.
soyez, *imperative of* être, be.
spécialement, especially.
spectateur, *m.*, spectator, bystander.
subir (2), to undergo, suffer.
subitement, suddenly.
subsister (1), to subsist, live.
subtil, *m.*, subtle, clever.
succès, *m.*, success.
suffire (51), to suffice, be enough.
suis, *pres. of* être, am; *also pres. of* suivre (52), follow.
suisse, Swiss.

suite, *f.*, following, retinue, continuation; **de —**, in succession; **dans la —**, thereafter; **tout de —**, at once, immediately.
suivant, -e, following.
suivre (52), to follow; **à —**, to be continued.
sujet, *m.*, subject.
superbe, superb.
supplice, *m.*, punishment, torture.
supplier (1), to beg, implore.
sur, on upon, about, concerning.
sûr, sure, sure, certain.
sur-le-champ, immediately.
surnommer (1), to nickname.
surpris, -e, surprised.
surtout, especially, above all.
surveiller (1), to watch over, guard.
suspendre (4), to hang.

ta, thy.
tabatière, *f.*, snuff-box, tobacco box.
table, *f.*, table.
tableau, *m.*, picture, blackboard.
Tage, *m.*, the Tagus, a river in Spain.
taille, *f.*, figure.
se **taire** (53), to keep silent; *vulg.*, to shut up.
tambour, *m.*, drum, drummer.
tandis que, while, on the other hand.
tant, so much, so many.
tante, *f.*, aunt.

tantôt . . . tantôt, now . . . now; **à —**, so-long.
taper (1), to beat, tap.
tapis, *m.*, carpet.
tard, late.
tas, *m.*, pile, heap.
te, thee, to thee, you (*familiar*).
tel, -le, such.
tellement, so much, so, such.
témoignage, *m.*, testimony.
témoin, *m.*, witness, second.
temps, *m.*, time, weather.
tendre (4), to hold out.
tendresse, *f.*, tenderness.
tenir (56), to hold; **se tenir**, to take place, be held.
tentati-f, -ve, tempting.
tentation, *f.*, temptation.
tenter (1), to tempt.
terminer (1), to end.
terrain, *m.*, ground.
terre, *f.*, land, earth.
tête, *f.*, head; **tête-bêche**, upside down.
texte, *m.*, text.
thème, *m.*, exercise.
Tibre, *m.*, the Tiber, a river of Central Italy.
tien-s, -t, -nent, *pres. indic. of* **tenir** (56), take, hold, keep.
tiens! *interj.*, here! well!
tirer (1), to draw, pull, shoot, fire.
tiroir, *m.*, drawer.
titan, *m.*, titan, giant.
toi, thee, thyself, to thee, thou.
tomber (1), to fall.
ton, thy.
ton, *m.*, tone.

tonnerre, *m.,* thunder.
tort, *m.,* wrong; **avoir —,** to be wrong.
touché, -e, affected.
toucher (1), to get, affect.
toujours, always, still, yet, same, nevertheless.
Toulouse, city in Southern France.
tourelle, *f.,* turret, *used figuratively for* a small house.
tourner (1), to turn.
tour, *m.,* trick, trip, turn.
tous, *pron.,* everybody, all.
tout, *pron.,* everything.
tout, -e, tous, toutes, *adj.,* all, whole, every; *adv.,* quite, entirely, all; **— à coup,** suddenly; **— à fait,** quite; **— à l'heure,** presently, just now; **— de suite,** at once; **— de même,** just the same; **— le monde,** everybody; **— en,** while; **pas du —,** not at all.
traduire (12), to translate.
tradui-s, -t, -sons, -sez, -sent, *pres. indic. of* **traduire** (12), translate.
traîner (1), to drag.
traiter (1), to treat.
traits, *m. pl.,* features, traits.
tramway, *m.,* car, street car.
tranquillement, calmly.
se **tranquilliser** (1), to calm oneself.
transporter (1), to take, convey, lead, carry away.
travail, *m.,* work.
travailler (1), to work.

traversée, *f.,* crossing, trip across.
traverser (1), to cross, traverse.
trembler (1), to tremble.
tremper (1), to soak.
trente, thirty.
trente et un, thirty-one.
trente-sept, thirty-seven.
très, very.
trésor, *m.,* treasure.
tribunal, *m.,* court.
triomphant, -e, triumphant.
triste, sad.
tristement, sadly.
trois, three.
troisième, third.
tromper (1), to deceive; **se —,** to be mistaken.
trop, too, too much, too many.
trot, *m.,* trot; **au —,** trotting.
trotter (1), to trudge along.
trou, *m.,* hole.
trouble, *m.,* worry, embarrassment.
troubler (1), to disturb.
troupe, *f.,* troupe, band.
troupeau, *m.,* troupe, flock, herd.
trouver (1), to find, think.
tu, thou, you (*affectionate or familiar*).
tube, *m.,* tube, test tube.
tuer (1), to kill.
turban, *m.,* turban.
tuteur, *m.,* tutor, guardian.

un, -e, one, an, a.
unique, sole, only.

usage, *m.*, custom.
utile, useful.

vacarme, *m.*, uproar.
vagabond, *m.*, tramp.
vaincre (54), to overcome, conquer.
vais, vas, va, vont, *pres. indic. of* aller (6), go, fit, suit.
vaisseau, *m.*, vessel.
valet, *m.*, valet, attendant; — de chambre, manservant.
vanité, *f.*, vanity.
vanter (1), to boast.
vanteur, *m.*, boaster, braggart.
vaniteu-x, -se, vain.
va-t-en, get out.
vau-x, -t, *pres. of* valoir (55), is worth; il — mieux, it is better.
veau, *m.*, calf.
vécu, *past. part. of* vivre (58), lived.
végéter (1), to vegetate.
venant, *m.*, arrival, one who comes.
vendre (4), to sell.
vendredi, *m.*, Friday.
vengeance, *f.*, revenge.
venir (56), to come; — à, to happen; — de, to have just.
Vénitien, *m.*, Venetian, inhabitant of Venice, an Italian port on the Adriatic.
vente, *f.*, sale; en —, on sale.
ventrebleu! Good Heavens! (*a euphemistic form for* ventre de Dieu).
véritable, true, real.

vérité, *f.*, truth.
vermisseau, *m.*, small worm, grub.
verr-ai, -as, -ais, -ons, -ions, *fut. and cond. of* voir (59), will *or* would see.
verre, *m.*, glass.
vers, *m.*, verse.
vers, toward.
verser (1), to pour, weep, shed.
vertu, *f.*, virtue.
vestiaire, *m.*, clothes-closet, coat-room.
vêtir (57), to dress, clothe.
veuve, *f.*, widow.
veu-x, -t, -lent, *pres. of* vouloir (60), wish, want; — dire, to mean.
vice, *m.*, vice.
victime, *m.*, victim.
vide, empty, unloaded.
vie, *f.*, life.
vieillard, *m.*, old man.
vien-s, -t, -nent, *pres. of* venir (56), to come; — de *with infin.*, have just.
vieux, vieil, vieille, old.
vif, vive, lively, active, nervous.
vigilance, *f.*, vigilance.
village, *m.*, village.
villageois, *m.*, villager, inhabitant of a village.
ville, *f.*, city.
vingt, twenty.
vingt-huit, twenty-eight.
vingtième, twentieth.
vingt-neuf, twenty-nine.
vingt-quatre, twenty-four.
violiniste, *m.*, violinist.

violon, *m.*, violin.
vi-s, -t, vîmes, vîtes, virent, *past def. of* **voir** (59), saw.
visage, *m.*, face.
viser (1), to aim.
visible, apparent, to be seen.
visite, *f.*, visit.
visiter (1), to visit.
vite, *adj. and adv.*, quick, quickly, hurry up.
vitre, *m.*, window pane.
vivre (58), to live.
vizir, *m.*, vizier, the title of a high official in Persia.
vocabulaire, *m.*, vocabulary.
voici, here is, here are.
voilà, there is, there are, behold! **vous —**, there you are!
voir (59), to see.
voisin, *m.*, **voisine**, *f.*, neighbor.
voiture, *f.*, carriage.
voiturier, *m.*, coach driver.
voix, *f.*, voice.
volée, *f.*, a shower.
voler (1), to steal; **— à**, to steal from.
voleur, *m.*, thief.
volonté, *f.*, will.
volontiers, willingly, gladly.

vont, *pres. indic. of* **aller** (6), go.
vos, your.
votre, your.
le **vôtre**, yours.
voudr-ai, -as, -ais, etc., *fut. and cond. of* **vouloir** (60), will *or* would wish, like.
vouloir (60), to want, wish; **— bien**, to be willing.
vous, you, to you, for you.
voyager (1), to travel.
voyageur, *m.*, traveler, passenger.
voy-ons, -ez, -ais, etc., *pres. and imperf. of* **voir** (59), see.
voyelle, *f.*, vowel.
voyons, tell me, let's see, now, well.
vrai, -e, true.
vraiment, really, truly.
vu, *past part. of* **voir** (59), seen.
vue, *f.*, sight, view.

wagon, *m.*, car; **— de chemin de fer**, railroad coach.

y, here, there, in it.
yeux, *m. pl.*, eyes (*cf.* œil).